A-Z DO

C000139107

CO

Key to Map Pages

REFERENCE

Motorway	M18	**Car Park** (selected)	P
Proposed		**Church or Chapel**	†
		Fire Station	■
A Road	A19	**Hospital**	H
B Road	B1396	**House Numbers** (A & B Roads only)	57 44
Dual Carriageway		**Information Centre**	i
One-way Street	→	**National Grid Reference**	460
Traffic flow on A roads is also indicated by a heavy line on the driver's left.	→	**Police Station**	▲
Restricted Access		**Post Office**	★
Pedestrianized Road		**Toilet**	▽
Track		with facilities for the Disabled	♿
Footpath		**Educational Establishment**	⌐
Residential Walkway		**Hospital or Hospice**	⌐
Railway	Station / Tunnel / Level Crossing	**Industrial Building**	⌐
Built-up Area	DUKE ST.	**Leisure or Recreational Facility**	⌐
Local Authority Boundary		**Place of Interest**	⌐
Postcode Boundary		**Public Building**	⌐
Map Continuation	34	**Shopping Centre or Market**	⌐
		Other Selected Buildings	⌐

SCALE

0   ¼   ½ Mile

1:19,000

0   250   500   750 Metres   1 Kilometre

3 ⅓ inches (8.47 cm) to 1 mile
5.26 cm to 1km

Copyright of Geographers' A-Z Map Company Limited

Head Office :
Fairfield Road, Borough Green, Sevenoaks, Kent TN15 8PP
Tel: 01732 781000 (General Enquiries & Trade Sales)

Showrooms :
44 Gray's Inn Road, London WC1X 8HX
Tel: 020 7440 9500 (Retail Sales)
www.a-zmaps.co.uk

Ordnance Survey® This product includes mapping data licensed from Ordnance Survey® with the permission of the Controller of Her Majesty's Stationery Office.

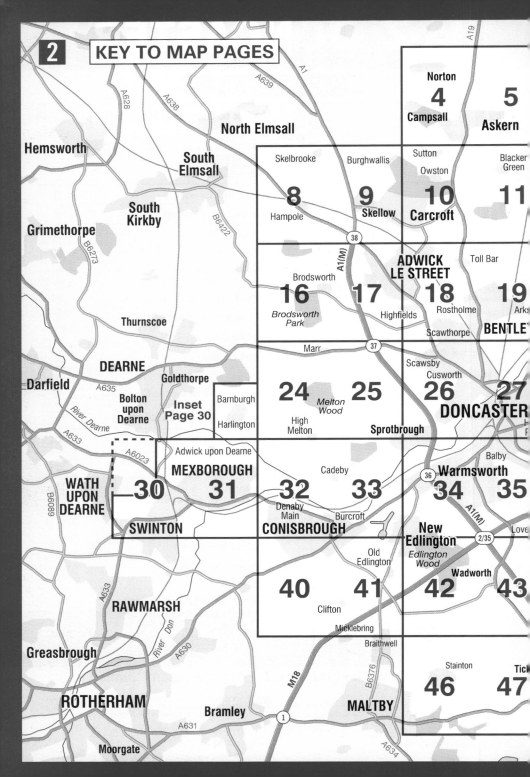

A19

Norton
4
Campsall

5
Askern

Hemsworth

North Elmsall

South
Elmsall

Skelbrooke
Burghwallis
Sutton
Owston

Blacker
Green

South
Kirkby

Hampole
8
9
Skellow
10
Carcroft
11

Grimethorpe

38

ADWICK
LE STREET
Toll Bar

Brodsworth
A1(M)
16
17
18
Rostholme
19
Arks

Thurnscoe
Brodsworth
Park
Highfields
Scawthorpe
BENTLE

DEARNE
Marr
37
Scawsby
Cusworth

Darfield
A635
Goldthorpe
Bolton
upon
Dearne
Inset
Page 30
Barnburgh
Harlington
24
Melton
Wood
25
26
27
DONCASTER

River Dearne
A6023
High
Melton
Sprotbrough

A633
Adwick upon Dearne
Balby

WATH
UPON
DEARNE
30
MEXBOROUGH
31
Cadeby
36
Warmsworth

B6089
32
33
34
35

SWINTON
Denaby
Main
Burcroft
CONISBROUGH
A1(M)
New
Edlington
2/35
Love

RAWMARSH
Old
Edlington
Edlington
Wood
Wadworth

40
41
42
43

Greasbrough
River Don
A630
Clifton
Micklebring

ROTHERHAM
Braithwell
B6376
Stainton
Tic
46
47

Bramley
1
MALTBY

A631

Moorgate
A634

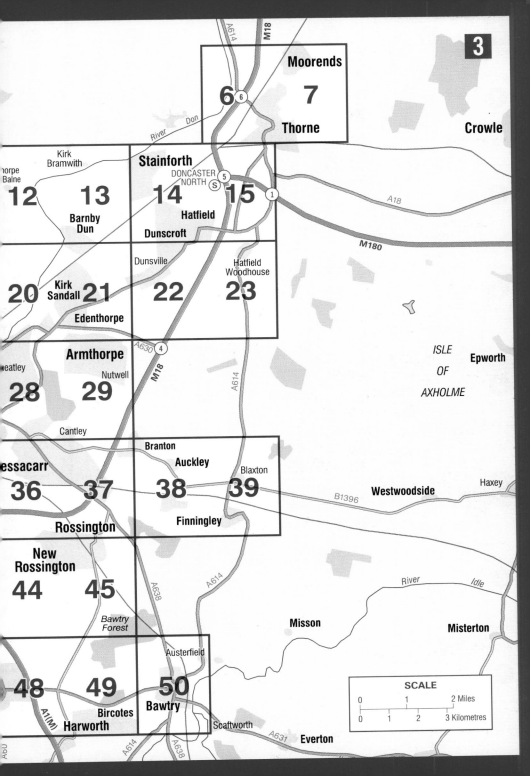

3

Moorends

6 ⑥

7

Thorne

River Don

Crowle

Kirk
Bramwith

Stainforth

12

13

DONCASTER
NORTH ⑤ Ⓢ

14

15 ①

A18

Barnby
Dun

Hatfield

Dunscroft

M180

Dunsville

Hatfield
Woodhouse

20

Kirk
Sandall **21**

22

23

Edenthorpe

Armthorpe

A630 ④

ISLE

Epworth

Nutwell

M18

A614

OF

28

29

AXHOLME

Cantley

Branton

Auckley

Blaxton

essacarr

Westwoodside

Haxey

36

37

38

39

B1396

Rossington

Finningley

New
Rossington

River

Idle

44

45

A638

A614

Bawtry
Forest

Misson

Misterton

Austerfield

48

49

50

Bircotes

Bawtry

A1(M)

Harworth

Scaftworth

A631

Everton

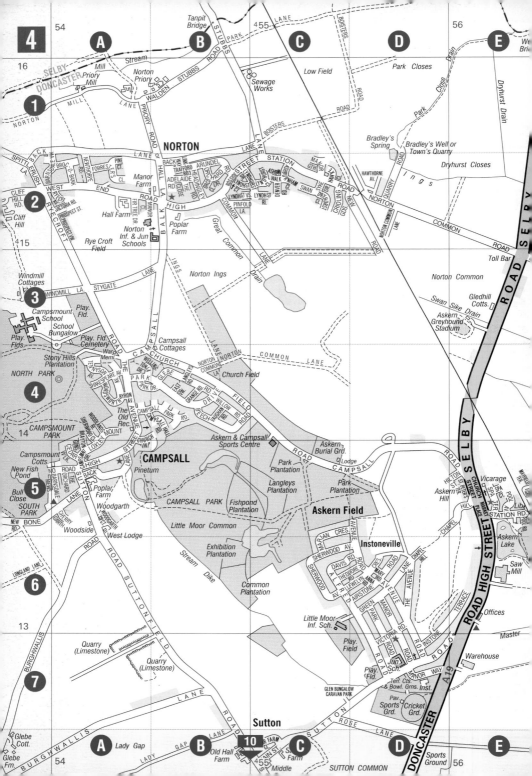

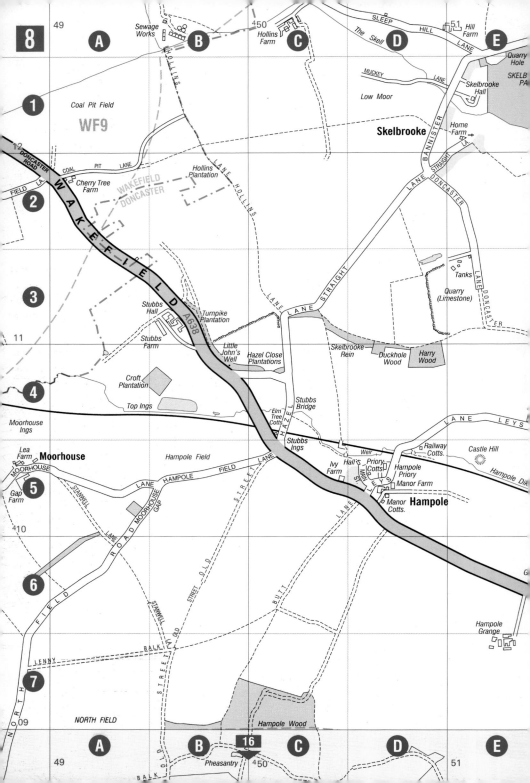

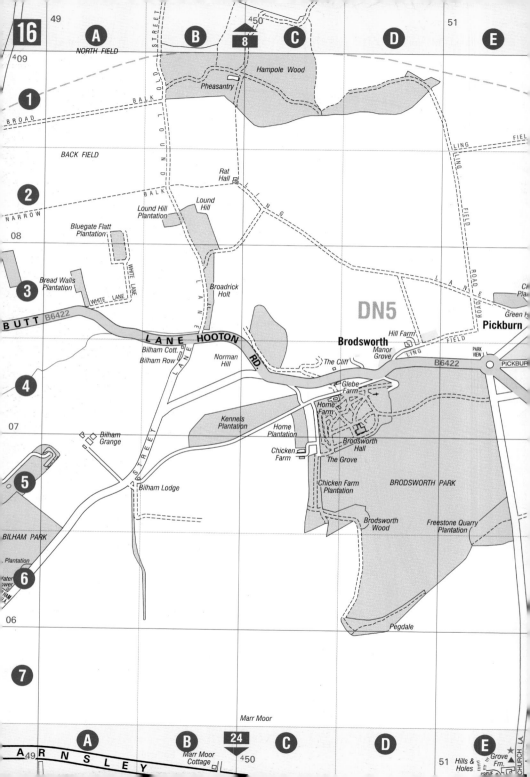

16

Marr Moor

1 B A R N S L E Y A635

Marr Moor
Cottage

Hills &
Holes

Grove
Fm.

GROVE

Manor
Farm

405

Marr Thick

BLACKSMITH'S LANE
ROAD
MELLINDER LANE

2

3

Sheep Walks

Stables
Holt

STONE
HANGMAN

STABLES LANE

BARNBURGH

04

Stables
Wood

Thunder Hole

4

Cliff
Plantation

Barnburgh
Cliff

CLIFF ROAD

Hangman
Stone

HANGMAN

MELTON WOOD

AVENUE

HELEN'S LANE

LANE ST.

St. Helen's
Spring

5

Fish
Pond

STONE ROAD

GREEN

Farm

03

INSET
Page 30

STONE

DONCASTER RD

ST. HELENS

6

LUDWELL

Springfield Spring

HARLINGTON RD

LUDWELL CL.

DONCASTER GRANGE

St. Helen's

OX PASTURE

7

Ludwell Spring

HILL

HANGMAN

Melton
Warren

Red House
Farm

Melton
Lodge

Tennis
Court

LANE

Ludwell
Spring

The Temple

**HIGH
MELTON**

Rose
Cottage

ROAD

02

OWLER
CARR

Spring

LANE

A Barnburgh
Grange **B**

MELTON MILL LANE

32

The
Ripple

DONCASTER

4 50

C Bath House
Bath Farm
Pond

Bath House

Works

Tennis Courts

D DONCASTER
COLLEGE

Leylands
Farm **E**

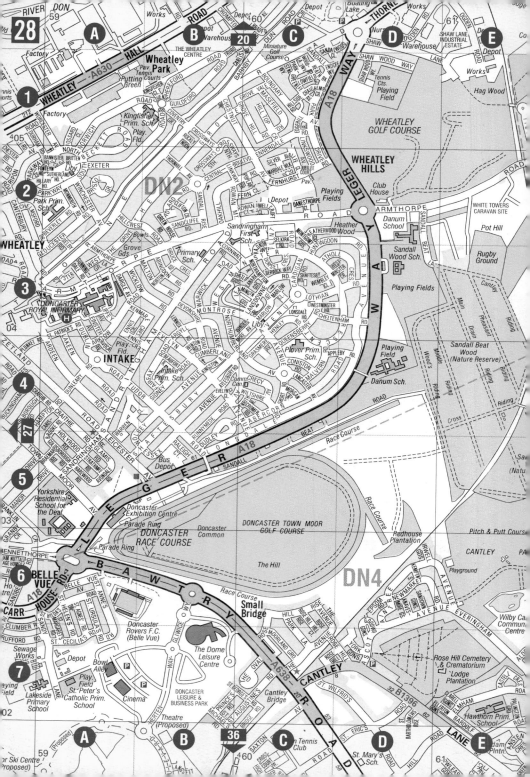

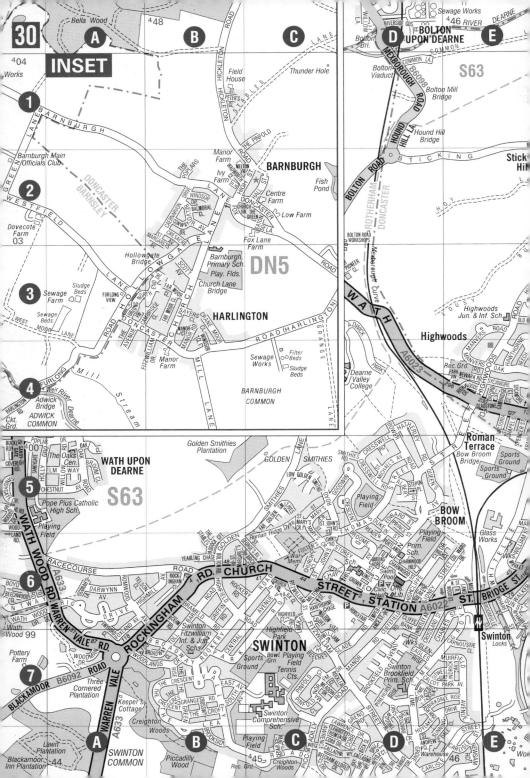

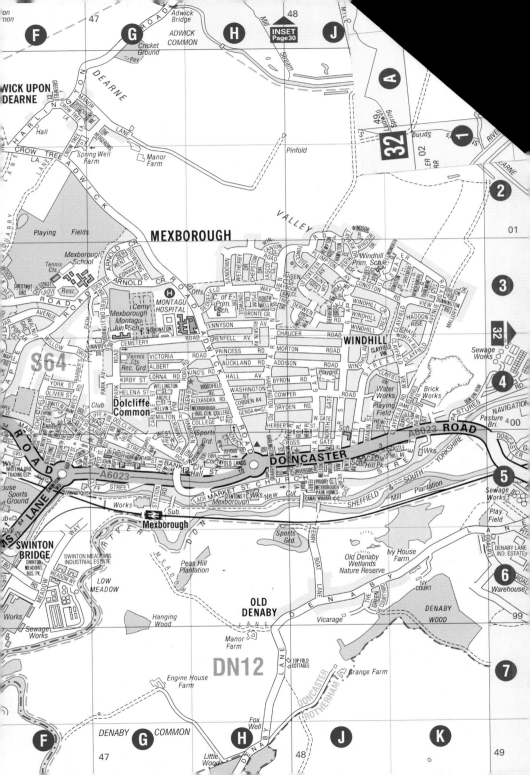

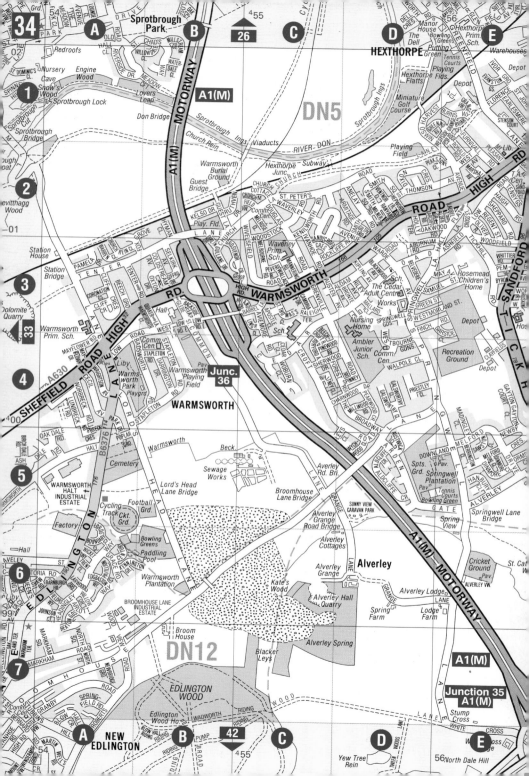

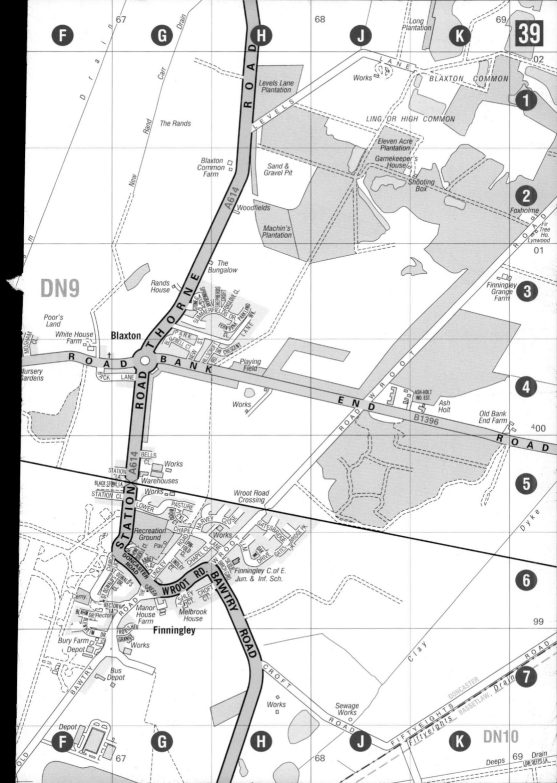

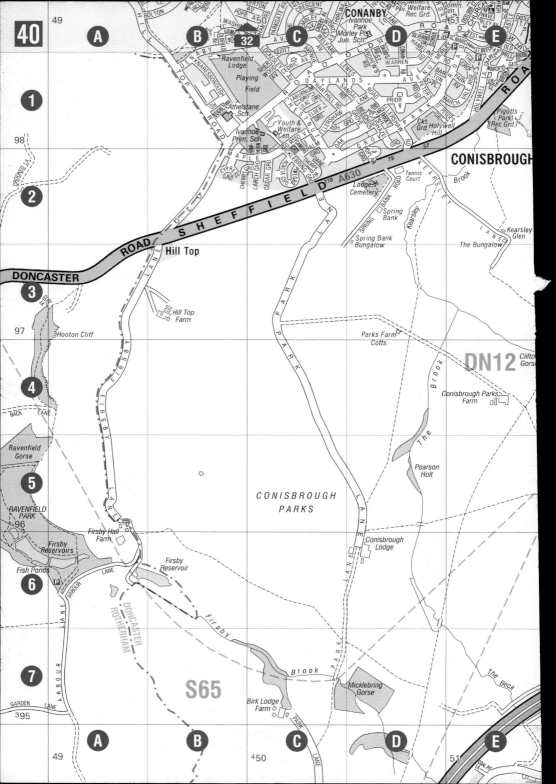

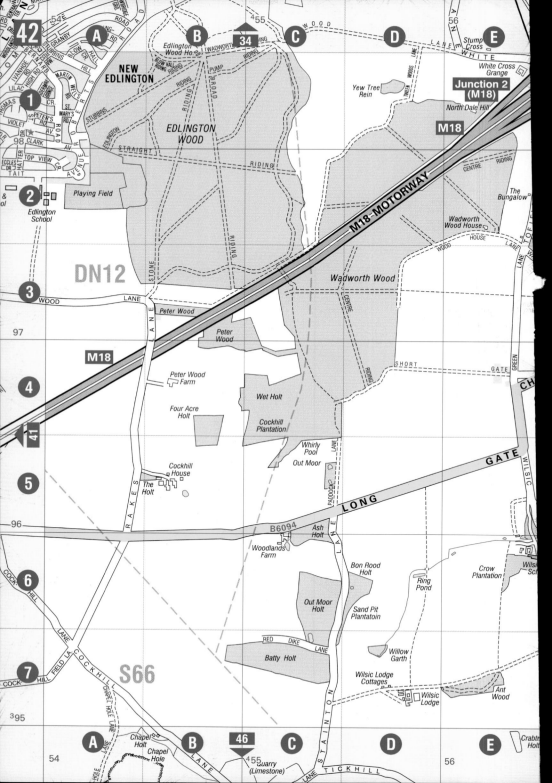

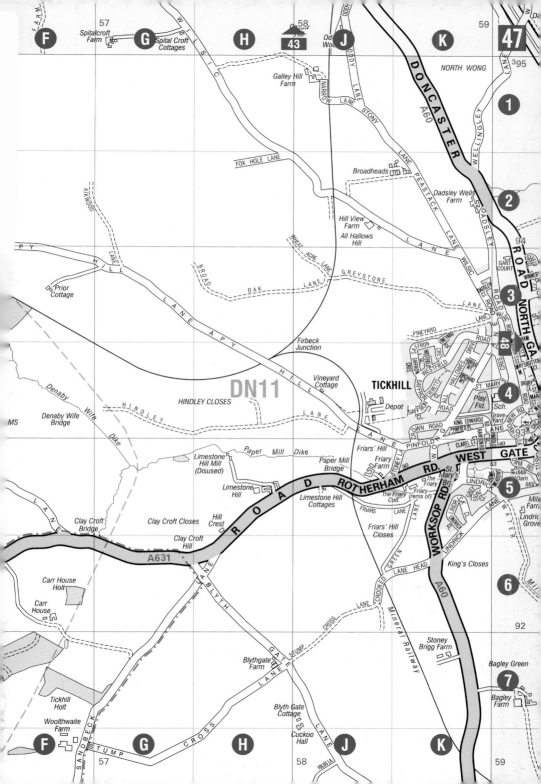

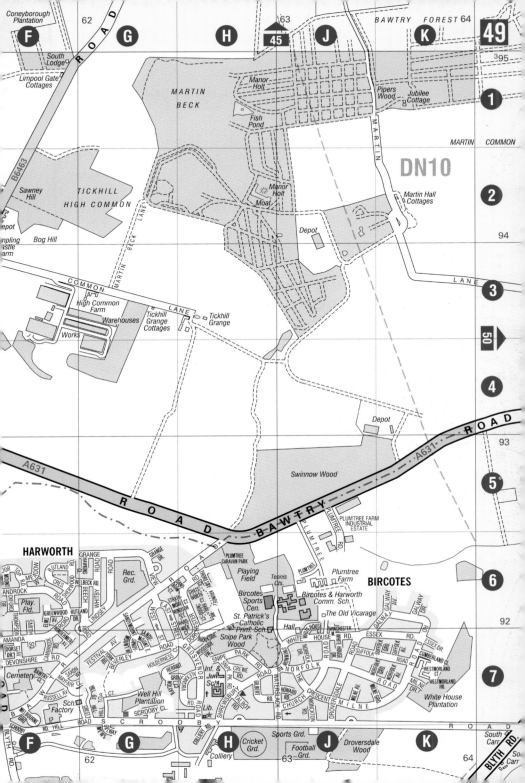

Coneyborough Plantation

F G H J K

BAWTRY FOREST 64

45

62 63 64

395

South Lodge

Limpool Gate Cottages

MARTIN BECK

Manor Holt

Fish Pond

Pipers Wood

Jubilee Cottage

1

MARTIN COMMON

B6463

Sawney Hill

TICKHILL HIGH COMMON

MARTIN BECK LANE

Manor Holt

Moat

Martin Hall Cottages

DN10

2

Depot

npling astle arm

Bog Hill

Depot

94

COMMON

High Common Farm

Warehouses

Works

LANE

Tickhill Grange Cottages

Tickhill Grange

MARTIN

LANE

3

50

4

Depot

ROAD

93

A631

ROAD

BAWTRY

Swinnow Wood

PLUMTREE

Plumtree Farm INDUSTRIAL ESTATE

5

HARWORTH

GRANGE

RUTLAND CRES.

WELBECK RD.

RUTLAND DR.

GREENWOOD

BEECH

WHITBY

LINDSET

ROAD

GRANGE DR.

GRANGE VIEW

ROAD

Rec. Grd.

PLUMTREE CARAVAN PARK

Playing Field

Tennis Cts.

Bircotes Sports Cen.

St. Patrick's Catholic Prim. Sch.

PLUMTREE CL.

PLUMTREE RD.

PLUMTREE

Plumtree Farm

BIRCOTES

Bircotes & Harworth Comm. Sch.

The Old Vicarage

GALWAY AV.

GALWAY GRO.

GALWAY DR.

6

92

MOUNT

MEADOW

OXFORD

ANDROCK

Play. Fld.

ELMS AV.

CAMBRIDGE

THOMPSON

SMITH

AMANDA

DORSET DR.

DEVONSHIRE

RD.

ROAD

WEST ST.

SANDYMOUNT

EAST STREET

WINDSOR

STRATH MORE CT.

WARD ST.

DORSET

ABBEY

GROSVENOR

Hall

WHITE HOUSE CL.

HOUSE CT.

WINCHESTER

WHITE HOUSE

NORFOLK

ESSEX AV.

SUFFOLK GRO.

MORGAN GRO.

SUFFOLK

ROAD

MORGAN CT.

ESSEX DR.

CUMBERLAND CL.

WESTMORLAND CT.

WESTMORLAND HO.

7

Cemetery

BAWTRY CL.

W. RUSSELL AV.

MELBURN RD.

SAXON

FESTIVAL AV.

BEVERLEY

HOLDERNESS RD.

Snipe Park Wood

Inf. & Jun. Sch.

SNIPE

CREWE

PARK

WATERTRACK

HERIOT

GILBERT

HOWARD RD.

SWINNOW

NORFOLK

ROAD

CHURCH

CRESCENTDALE

MONCKTON

DROVERSDALE

MILNE

MILNE AV.

MILNE GRO.

White House Plantation

Well Hill Plantation

SCROOBY CL.

Sch. Factory

HILL TOP

BIRCH CT.

WEST DR.

RAVEN

GRO.

TALBOT

SHREWSBURY

Lib.

ROAD

BLYTH

SCROOBY

RD. HILL

HILL

MELBURN

DR.

SCROOBY

COLLIERY RD.

Sports Grd.

South Carr

BLYTH RD.

So. Carr

ROAD

ROAD

F G H J K

62 63 64

Cricket Grd.

Colliery

Football Grd.

Droversdale Wood

INDEX

Including Streets, Hospitals & Hospices, Industrial Estates and
Selected Flats & Walkways

HOW TO USE THIS INDEX

1. Each street name is followed by its Posttown or Postal Locality and then by its map reference; e.g. Abbe's Wlk., The. *Burg* —1K **9** is in the Burghwallis Postal Locality and is to be found in square 1K on page **9**. The page number being shown in bold type.
A strict alphabetical order is followed in which Av., Rd., St., etc. (though abbreviated) are read in full and as part of the street name;
e.g. Abbeyfield Rd. appears after Abbey Dri. but before Abbey Fields.

2. Streets and a selection of Subsidiary names not shown on the Maps, appear in the index in *Italics* with the thoroughfare to which it is connected shown in brackets; e.g. *Albert Vs. Thorne —5F 7 (off Coulman St.)*

3. An example of a hospital or hospice is DONCASTER ROYAL INFIRMARY. —3K 27

GENERAL ABBREVIATIONS

All : Alley	Ct : Court	Lit : Little	Rd : Road
App : Approach	Cres : Crescent	Lwr : Lower	Shop : Shopping
Arc : Arcade	Cft : Croft	Mc : Mac	S : South
Av : Avenue	Dri : Drive	Mnr : Manor	Sq : Square
Bk : Back	E : East	Mans : Mansions	Sta : Station
Boulevd : Boulevard	Embkmt : Embankment	Mkt : Market	St : Street
Bri : Bridge	Est : Estate	Mdw : Meadow	Ter : Terrace
B'way : Broadway	Fld : Field	M : Mews	Trad : Trading
Bldgs : Buildings	Gdns : Gardens	Mt : Mount	Up : Upper
Bus : Business	Gth : Garth	Mus : Museum	Va : Vale
Cvn : Caravan	Ga : Gate	N : North	Vw : View
Cen : Centre	Gt : Great	Pal : Palace	Vs : Villas
Chu : Church	Grn : Green	Pde : Parade	Vis : Visitors
Chyd : Churchyard	Gro : Grove	Pk : Park	Wlk : Walk
Circ : Circle	Ho : House	Pas : Passage	W : West
Cir : Circus	Ind : Industrial	Pl : Place	Yd : Yard
Clo : Close	Info : Information	Quad : Quadrant	
Comn : Common	Junct : Junction	Res : Residential	
Cotts : Cottages	La : Lane	Ri : Rise	

POSTTOWN AND POSTAL LOCALITY ABBREVIATIONS

Adw S : Adwick-le-Street	*Cant* : Cantley	*Hoot P* : Hooton Pagnell	*Rav* : Ravenfield
Adw D : Adwick-upon-Dearne	*Carc* : Carcroft	*Hoot R* : Hooton Roberts	*Ross* : Rossington
A'ley : Alverley	*Con* : Conisbrough	*Intake* : Intake	*Roth* : Rotherham
Ark : Arksey	*Crow* : Crowle	*Kiln* : Kilnhurst	*Scaw* : Scawsby
Arm : Armthorpe	*Cusw* : Cusworth	*Kirk B* : Kirk Bramwith	*Scawt* : Scawthorpe
Ask : Askern	*Den M* : Denaby Main	*Kirk S* : Kirk Sandall	*Scro* : Scrooby
Auc : Auckley	*Donc* : Doncaster	*K Ind* : Kirk Sandall Ind. Est.	*S'brke* : Skelbrooke
Aus : Austerfield	*Donc F* : Doncaster Finningley Airport	*Lind* : Lindholme	*Skell* : Skellow
Bal : Balby	*D'cft* : Dunscroft	*Love* : Loversall	*S Elm* : South Elmsall
Balne : Balne	*D'ville* : Dunsville	*Maltby* : Maltby	*Spro* : Sprotbrough
Barn : Barnburgh	*E'thpe* : Edenthorpe	*Manv* : Manvers	*Stain* : Stainforth
Barn D : Barnby Dun	*Edl'tn* : Edlington	*Marr* : Marr	*S'ton* : Stainton
Baw : Bawtry	*Fenw* : Fenwick	*Mexb* : Mexborough	*Sutton* : Sutton
Ben : Bentley	*Finn* : Finningley	*Mickle* : Micklebring	*Swint* : Swinton
Bes : Bessacarr	*Fish* : Fishlake	*Misson* : Misson	*Syke* : Sykehouse
Birc : Bircotes	*Gold* : Goldthorpe	*Moor* : Moorends	*Thorne* : Thorne
Blax : Blaxton	*Ham* : Hampole	*Moorh* : Moorhouse	*Thry* : Thrybergh
Bol D : Bolton-upon-Dearne	*H'ton* : Harlington	*Moss* : Moss	*Tick* : Tickhill
B'wte : Braithwaite	*Harw* : Harworth	*New R* : New Rossington	*Toll B* : Toll Bar
Braith : Braithwell	*Hat* : Hatfield	*Nor* : Norton	*Wadw* : Wadworth
Bran : Branton	*Hat W* : Hatfield Woodhouse	*Oldc* : Oldcotes	*Warm* : Warmsworth
Brod : Brodsworth	*Hick* : Hickleton	*Old De* : Old Denaby	*Wath D* : Wath-upon-Dearne
Burg : Burghwallis	*High* : Highfields	*Old E* : Old Edlington	*W'land* : Woodlands
Cad : Cadeby	*H Mel* : High Melton	*Old S* : Old Skellow	
Cam : Campsall	*H'lme* : Holme	*Pick* : Pickburn	

INDEX

Abbe's Clo., The. *Burg* —1K **9**
Abbe's Wlk., The. *Burg* —1K **9**
Abbey Dri. *D'cft* —6C **14**
Abbeyfield Rd. *D'cft* —6B **14**
Abbey Fields. *Finn* —6G **39**
Abbey Gdns. *D'cft* —7C **14**
Abbey Grn. *D'cft* —6C **14**
Abbey Gro. *D'cft* —6C **14**
Abbey Rd. *D'cft* —7C **14**
Abbey's Wlk. Mobile Home Pk. *D'cft*
—5D **14**
Abbey Wlk. *Donc* —3C **26**
Abbey Way. *D'cft* —5C **14**
Abbott St. *Donc* —6F **27**
Aberconway Cres. *New R* —2E **44**
Abercorn Rd. *Donc* —4C **28**
Abingdon Rd. *Donc* —3B **28**
Abus Rd. *Donc* —3H **3**
Acacia Ct. *Ben* —5E **18**
Acacia Gro. *Con* —2C **40**
Acacia Rd. *Donc* —1F **37**
Acacia Rd. *Skell* —4J **9**

Acer Cft. *Arm* —3H **29**
Acomb Comn. Rd. *Hat* —6H **15**
Acre Clo. *E'thpe* —5F **21**
Addison Rd. *Mexb* —4H **31**
Adelaide Rd. *Nor* —2B **4**
Adlard Rd. *Donc* —2B **28**
Adwick Av. *Toll B* —2D **18**
Adwick Ct. *Mexb* —5H **31**
Adwick La. *Adw S & Toll B*
—1A **18**
Adwick Pk. *Manv* —3D **30**
Adwick Rd. *Mexb* —2F **31**
Aikwood La. *Tick* —2F **47**
Ainsley Clo. *Auc* —2C **38**
Ainthorpe Rd. *Toll B* —2D **18**
Aintree Av. *Donc* —6D **28**
Aintree Clo. *Donc* —3B **26**
Aintree Dri. *Mexb* —3H **31**
Airedale Av. *Tick* —3A **48**
Airey La. *Ask* —4K **11**
Airstone Rd. *Ask* —6D **4**
Aisby Dri. *Ross* —7G **37**

Albany La. *New R* —1E **44**
Albany Rd. *Donc* —1E **34**
Albert Rd. *Mexb* —4G **31**
Albert St. *Swint* —5D **30**
Albert St. *Thorne* —5F **7**
Albert Vs. Thorne —5F 7
(off Coulman St.)
Albion Pl. *Donc* —5J **27**
Albion Ter. *Donc* —7F **27**
Aldam Rd. *Donc* —3D **34**
Aldcliffe Cres. *Donc* —5D **34**
Alder Gro. *Donc* —2E **34**
Alder Gro. *Moor* —2F **7**
Alder Holt Clo. *Arm* —3J **29**
Aldersgate Clo. *New R* —2G **45**
Aldersgate Ct. *Maltby* —6A **46**
Alderson Clo. *Tick* —3B **48**
Alderson Dri. *Donc* —6K **27**
Alderson Dri. *Tick* —4B **48**
Aldeworth Rd. *Donc* —7E **28**
Alexander St. *Ben* —6F **19**
Alexandra Rd. *Adw S* —1B **18**

Alexandra Rd. *Ben* —5F **19**
Alexandra Rd. *Birc* —7H **49**
Alexandra Rd. *Donc* —1F **35**
Alexandra Rd. *Mexb* —4H **31**
Alexandra Rd. *Moor* —1F **7**
Alexandra St. *Thorne* —4E **6**
Alfred Rd. *Ask* —6C **4**
Alldred Cres. *Swint* —7C **30**
Allenby Cres. *New R* —2E **44**
Allendale Gdns. *Donc* —5D **26**
Allendale Rd. *Donc* —5D **26**
Allerton St. *Donc* —4H **27**
All Hallowes Dri. *Tick* —4K **47**
Alliss Rd. *Bran* —1A **38**
All Saints Sq. *Den M* —5C **32**
Almholme La. *Ark* —4J **19**
(in two parts)
Almond Av. *Arm* —1H **29**
Almond Clo. *Auc* —5E **38**
Almond Cft. *Ben. Thorne* —2H **15**
Almond Rd. *Donc* —1F **37**
Alpha Ct. *Thorne* —5C **6**

Alpha St. *Toll B* —2D **18**
Alston Clo. *Donc* —2D **36**
Alston Rd. *Donc* —3D **36**
Alvaston Wlk. *Den M* —6C **32**
Alverley La. *Donc* —5E **34**
Alverley Vw. *A'ley* —6E **34**
Alwyn Av. *Donc* —1C **26**
Alwyn Rd. *Thorne* —6F **7**
Amanda Dri. *Hat* —7D **14**
(in two parts)
Amanda Rd. *Harw* —7F **49**
Ambassador Gdns. *Arm* —3J **29**
Amberley Ri. *Skell* —4H **9**
Ambleside Cres. *Spro* —7J **25**
Ambrose Av. *Hat* —6E **14**
Amersall Cres. *Donc* —7C **18**
Amersall Rd. *Donc* —7C **18**
Amwell Grn. *D'cft* —1C **22**
Amy Rd. *Ben* —4G **19**
Anchorage Cres. *Donc* —4E **26**
Anchorage La. *Donc* —3D **26**
Anchor Clo. *Thorne* —6E **6**
Ancient La. *Hat W* —2G **23**
Anelay Rd. *Donc* —2D **34**
Anfield Rd. *Donc* —2E **36**
Anna Rd. *Ask* —6D **4**
Ansdell Rd. *Ben* —5F **19**
Ansten Cres. *Donc* —1E **36**
Apley Rd. *Donc* —6H **27**
Apostle Clo. *Donc* —3C **34**
Appleby Pl. *Skell* —4H **9**
Appleby Rd. *Donc* —4C **28**
Apple Gro. *Auc* —5C **38**
Applehaigh Dri. *Kirk S* —2E **20**
Applehurst La. *Ask* —6A **12**
Appleton Way. *Donc* —7D **18**
Apy Hill La. *Tick* —3F **47**
Arbour La. *Rav* —7A **40**
Ardeen Rd. *Donc* —4A **28**
Arden Ga. *Donc* —5D **34**
Argosy Clo. *Baw* —3B **50**
Argyle La. *New R* —1E **44**
Argyle St. *Mexb* —4G **31**
Argyll Av. *Donc* —3B **28**
Arklow Rd. *Donc* —4A **28**
Arksey Comn. La. *Ark* —5J **19**
Arksey La. *Ben* —6F **19**
Arkwright Rd. *Donc* —3D **26**
Arlott Way. *Edl'tn* —6A **34**
Armitage Rd. *Donc* —2D **34**
Armthorpe La. *Barn D* —2G **21**
Armthorpe La. *Donc* —3A **28**
Armthorpe Rd. *Donc* —3A **28**
Arnold Cres. *Mexb* —3G **31**
Arren Clo. *Barn D* —6F **13**
Arthur Av. *Ben* —5F **19**
Arthur Pl. *Ben* —5F **19**
Arthur St. *Ben* —5G **19**
Arundel Gdns. *Donc* —7D **18**
Arundel Rd. *Nor* —2B **4**
Arundel St. *Stain* —3A **14**
Arundel Wlk. *Birc* —6H **49**
Ascot Av. *Donc* —7D **28**
Ascot Clo. *Mexb* —3H **31**
Ascot Dri. *Donc* —2B **26**
Ashburnham Clo. *Nor* —2C **4**
Ashburnham Gdns. *Donc* —5C **26**
Ashburnham Rd. *Thorne* —6D **6**
Ashburnham Wlk. *Nor* —2C **4**
Ashburton Clo. *Adw S* —1J **17**
Ash Ct. *Spro* —7B **26**
Ash Cres. *Mexb* —3F **31**
Ashcroft Clo. *Edl'tn* —1J **41**
Ashdale Clo. *E'thpe* —6F **21**
Ash Dale Rd. *Warm* —5K **33**
Ashdown Pl. *Donc* —7D **18**
Ashfield Av. *Thorne* —7D **6**
Ashfield Clo. *Arm* —3J **29**
Ashfield Gro. *Stain* —2B **14**
Ashfield Rd. *Donc* —3E **34**
Ashfield Rd. *D'cft* —7B **14**
Ashfield Rd. *Thorne* —1G **15**
Ash Fields Rd. *Ark & Barn D*
—6A **12**
Ash Gro. *Arm* —1J **29**
Ash Gro. *Auc* —5D **38**
Ash Gro. *Con* —1C **40**
Ash Gro. *Maltby* —6A **46**
Ash Hill Cres. *Hat* —6D **14**
Ash Hill Rd. *Hat* —7D **14**
Ash-Holt Ind. Est. *Finn* —4K **39**
Ashley Ct. *Finn* —6G **39**
Ash Ridge. *Swint* —7D **30**
Ash Rd. *Barn D* —6C **12**
Ash Rd. *Skell* —4K **9**
Ashton Av. *Donc* —6B **18**
Ashton Dri. *Kirk S* —3E **20**
Ash Tree Av. *Baw* —4B **50**

Ash Tree Rd. *Thorne* —7E **6**
Ashville. *New R* —2G **45**
Ashwood Clo. *Bran* —1J **37**
Ashwood Ho. *Adw S* —2A **18**
Askern Grange La. *Ask* —5G **5**
Askern Ho. *Donc* —6G **27**
(off St James St.)
Askern Ind. Est. *Ask* —5G **5**
Askern Rd. *Carc & H'lme* —6B **10**
Askern Rd. *Toll B* —2D **18**
Askrigg Clo. *Donc* —2F **37**
Aspen Clo. *E'thpe* —6F **21**
Asquith Rd. *Ben* —6F **19**
Astcote Ct. *Kirk S* —3E **20**
Aston Grn. *D'cft* —1C **22**
Atebanks Ct. *Bal* —5F **35**
Athelstane Cres. *E'thpe* —4F **21**
Athelstane Rd. *Con* —7D **32**
Atholl Cres. *Donc* —3C **28**
Athron Ind. Est. *Donc* —4J **27**
(off Athron St.)
Athron St. *Donc* —4J **27**
Atterby Dri. *Ross* —7G **37**
Attlee Av. *New R* —1D **44**
Auburn Rd. *Edl'tn* —7K **33**
Auckland Gro. *Moor* —2H **7**
Auckland Rd. *Donc* —3J **27**
Auckland Rd. *Mexb* —4H **31**
Austen Av. *Donc* —3C **34**
Austerfield Av. *Donc* —1E **26**
Austwick Clo. *Donc* —5D **34**
Austwood La. *Braith* —1A **46**
Aven Ind. Pk. *Maltby* —6D **46**
Avenue Rd. *Ask* —5D **4**
(in three parts)
Avenue Rd. *Donc* —3J **27**
Avenue, The. *Ask* —6D **4**
Avenue, The. *Ben* —6G **19**
Avenue, The. *Cam* —4A **4**
Avenue, The. *Donc* —6C **28**
Avenue, The. *H'ton* —3A **30**
Avenue, The. *Moor* —1F **7**
Avenue, The. *S'ton* —3C **46**
Aviemore Rd. *Donc* —3C **34**
Avoca Av. *Donc* —4A **28**
Avon Ct. *Auc* —2C **38**
Avondale Rd. *Donc* —5A **28**
Axholme Ct. *Donc* —3K **27**
Axholme Grn. *Thorne* —7F **7**
Axholme Rd. *Donc* —3J **27**
Aylesbury Rd. *Donc* —4B **28**
Ayots Grn. *D'cft* —1C **22**
Ayrsome Wlk. *Donc* —1E **36**
Aysgarth Clo. *Donc* —2F **37**
Ayton Wlk. *Ben* —5E **18**

B

k. Field La. *Hat* —7E **14**
(in two parts)
Back La. *Ask* —7K **5**
Back La. *Blax* —4F **39**
Back La. *Cam* —5A **4**
Back La. *Cusw* —3K **25**
Back La. *Hoot R* —4A **40**
Back La. *Maltby* —5G **41**
Back La. *Nor* —2A **4**
(in two parts)
Back La. *Old E* —3J **41**
Back La. *Stain* —2A **14**
Back La. *Thorne* —6F **7**
Back Row. *Cant* —7H **29**
Bk. Row Cotts. *Ross* —1H **45**
Backside La. *Warm* —3B **34**
Badsworth Rd. *Warm* —4A **34**
Bahram Gro. *New R* —2E **44**
Bahram Rd. *Donc* —1C **36**
Bailey La. *Hat* —4G **15**
Bailey La. *Stain* —2F **15**
(in two parts)
Bailey M. *Scawt* —6C **18**
Bainbridge Rd. *Donc* —7F **27**
Baines Av. *Edl'tn* —1J **41**
Balby Carr Bank. *Donc* —1G **35**
Balby Rd. *Donc* —1F **35**
Balby St. *Den M* —6D **32**
Balcarres Rd. *New R* —1F **45**
Baldwin Av. *Donc* —3E **26**
Balfour Rd. *Ben* —6G **19**
Balk, The. *Ark* —2H **19**
Ballam Av. *Donc* —6C **18**
Balmoral Clo. *Barn* —2B **30**
Balmoral Ct. *Birc* —6H **49**
(off Bawtry Rd.)
Balmoral Rd. *Donc* —4K **27**
Balmoral Rd. *D'cft* —6C **14**
Banbury Clo. *Den M* —6D **32**
(off Thrybergh Ct.)
Bank End Rd. *Blax & Finn* —4G **39**

Bank Sq. *New R* —2E **44**
Bank St. *Donc* —7G **27**
Bank St. *Mexb* —5G **31**
Bankwood Cres. *New R* —7D **36**
Bankwood La. *New R* —6D **36**
Bannister Ho. *Donc* —2A **28**
Bannister La. *S'brke* —1D **8**
Barber's Path. *Mexb* —4F **31**
Bar Cft. La. *Ask* —7J **5**
Bardolf Rd. *Donc* —7E **28**
Bardon Rd. *E'thpe* —4F **21**
Barkers La. *Con* —1H **41**
Barker St. *Mexb* —5E **30**
Barnburgh Cliff. *Barn* —3A **24**
Barnburgh Ho. *Edl'tn* —6A **34**
Barnburgh La. *Gold & Barn* —1A **30**
Barnby Dun Rd. *Donc* —1B **28**
Barnet Grn. *D'cft* —1C **22**
Barnsdale M. *Cam* —5A **4**
Barnsdale Vw. *Nor* —2A **4**
Barnsley La. *Con* —7C **32**
Barnsley Rd. *Hick & Marr* —1A **24**
Barnsley Rd. *Marr & Donc* —1H **25**
Barnsley Rd. *Moor* —1G **7**
Barnstone St. *Donc* —7E **26**
Barrel La. *Donc* —3C **34**
Barret Rd. *Donc* —7F **29**
Barrie Rd. *Donc* —3F **35**
Barton La. *Arm* —2G **29**
(in two parts)
Barton Pl. *Con* —1D **40**
Basil Av. *Arm* —1E **28**
Bassey Rd. *Bran* —1A **38**
Bass Ter. *Donc* —5J **27**
Battle Clo. *Lind* —7J **23**
Baulk La. *Harw* —6F **49**
Bawtry Clo. *Harw* —7F **49**
Bawtry Rd. *Aus* —3E **50**
Bawtry Rd. *Birc & Baw* —5J **49**
Bawtry Rd. *Donc* —6B **28**
Bawtry Rd. *Finn* —6A **16**
Bawtry Rd. *Harw & Birc* —7F **49**
Bawtry Rd. *Hat W* —7H **23**
Bawtry Rd. *Tick & Harw* —4C **48**
Baxter Av. *Donc* —4J **27**
Baxter Ct. *Donc* —4J **27**
Baxter Ga. *Donc* —5G **27**
Bayardo Wlk. *New R* —3F **45**
Baytree Gro. *Auc* —5B **38**
Beacon La. *Maltby* —5F **41**
(in two parts)
Beaconsfield Rd. *Donc* —7E **26**
Beaconsfield St. *Mexb* —4F **31**
Beacon Sq. *Maltby* —5G **41**
Beancroft Clo. *Wadw* —3G **43**
Bearswood Pk. *Hat* —6K **15**
Beaufont Gdns. *Baw* —4B **50**
Beaufort Rd. *Donc* —4B **28**
Beaumont Av. *W'land* —1H **17**
Beck Clo. *Swint* —7D **30**
Becket Rd. *Donc* —3J **27**
Bedale Rd. *Donc* —1B **26**
Bedford Ct. *Baw* —4B **50**
Beecham Ct. *Swint* —7C **30**
Beech Av. *Auc* —5C **38**
Beech Av. *Tick* —4B **48**
Beech Cres. *Mexb* —4E **30**
Beech Cres. *Stain* —2B **14**
Beechcroft Rd. *Donc* —3C **34**
Beech Dri. *Bran* —7K **29**
Beeches, The. *Kirk S* —3F **21**
Beeches, The. *Swint* —7C **30**
Beechfield Rd. *Donc* —6H **27**
Beechfield Rd. *D'cft* —7B **14**
Beech Gro. *Ben* —7F **19**
Beech Gro. *Con* —1D **40**
Beech Gro. *Warm* —3A **34**
Beech Hill. *Con* —7E **32**
Beech Rd. *Arm* —2H **29**
Beech Rd. *Cam* —4B **4**
Beech Rd. *Harw* —6G **49**
Beech Rd. *New R* —2G **45**
Beech Rd. *Skell* —5J **9**
Beech Tree Av. *Thorne* —7F **7**
Beech Tree Clo. *Cant* —7H **29**
Beechwood Clo. *E'thpe* —6G **21**
Beechwood Clo. *Wath D* —6A **30**
Beechwood Wlk. *Edl'tn* —1J **41**
(off Broomvale Wlk.)
Belfry Gdns. *Donc* —2G **37**
Belgrave Ct. *Baw* —4B **50**
Bell Butts La. *Auc* —3B **38**
Bell Cft. La. *Ark & Ask* —6K **11**
(in two parts)
Bellerby Pl. *Skell* —4H **9**
Bellerby Rd. *Skell* —4H **9**
Belle Vw. Ter. *Thorne* —6E **6**
Belle Vue Av. *Donc* —6A **28**

Belle Vue Rd. *Mexb* —4G **31**
Bellis Av. *Donc* —1E **34**
Bellrope Acre. *Arm* —3H **29**
Bells Clo. *Blax* —5G **39**
Bellwood Cres. *Thorne* —5D **6**
Belmont Av. *Donc* —7G **27**
Belmont Clo. *Bran* —1A **38**
Belmont St. *Mexb* —5F **31**
Belmont Ter. *Thorne* —6E **6**
(off Plantation Rd.)
Beltoft Way. *Con* —6G **33**
Belvedere. *Donc* —3D **34**
Belvedere Clo. *Ask* —5F **5**
Belvedere Dri. *Moor* —2F **7**
Belvoir Av. *Barn* —2B **30**
Benita Av. *Mexb* —5J **31**
Bennetthorpe. *Donc* —6J **27**
Bentinck Clo. *Donc* —6H **27**
Bentinck St. *Con* —7F **33**
Bentley Av. *Donc* —4E **26**
Bentley Comn. La. *Ben* —7G **19**
Bentley Moor La. *Adw S* —7B **10**
Bentley Rd. *Donc* —1E **26**
Benton Ter. *Swint* —7D **30**
Beresford Rd. *Maltby* —7A **46**
Beresford St. *Ben* —6G **19**
Bernard Rd. *Edl'tn* —1K **41**
Berrington Clo. *Donc* —5E **34**
Berry Edge Clo. *Con* —1G **41**
Berwick Way. *Donc* —3C **28**
Bessacarr La. *Donc* —3E **36**
Bevan Av. *New R* —1F **45**
Beverley Gdns. *Donc* —3B **26**
Beverley Rd. *Donc* —2A **28**
Beverley Rd. *Harw* —7G **49**
Bevre Rd. *Arm* —7H **21**
Bewicke Av. *Donc* —2B **26**
Bhatia Clo. *Mexb* —4G **31**
Bilham La. *Hoot P* —6A **16**
Billy Wright's La. *Tick* —5K **43**
Binbrook Clo. *Baw* —5B **50**
Birch Av. *Auc* —6C **38**
Birch Av. *Skell* —5J **9**
Birch Clo. *Spro* —7B **26**
Birch Ct. *Swint* —6C **30**
Birchdale Clo. *E'thpe* —6F **21**
Birchen Clo. *Donc* —4E **36**
Birchfield Rd. *Maltby* —6A **46**
Birch Gro. *Con* —7F **33**
Birch Rd. *Donc* —1F **37**
Birch Tree Clo. *Barn D* —7G **13**
Birchwood Clo. *Thorne* —4E **6**
Birchwood Ct. *Donc* —4H **37**
Birchwood Dell. *Donc* —4H **37**
Birchwood Gdns. *Braith* —7J **41**
Bircotes Wlk. *Ross* —1H **45**
Birkdale Clo. *Donc* —3H **37**
Birkdale Ri. *Swint* —7D **30**
Birks Holt Dri. *Maltby* —7A **46**
Bishopgarth Clo. *Donc* —2F **27**
Bishopsgate La. *New R* —3G **45**
Blackamoor Rd. *Swint* —7A **30**
Blacker Grn. La. *H'lme* —2H **11**
Blackshaw La. *Syke* —1A **6**
Blacksmith's La. *Marr* —2E **24**
Black Stone La. *Blax* —5F **39**
Black Syke La. *Syke* —1A **6**
Blackthorne Clo. *Edl'tn* —1J **41**
Blackwood Av. *Donc* —3D **34**
Blake Av. *Donc* —2K **27**
Blenheim Clo. *Hat* —1C **22**
Blenheim Cres. *Mexb* —4F **31**
Blenheim Dri. *Finn* —6E **39**
Blenheim Ri. *Baw* —5B **50**
Blenheim Rd. *Lind* —7J **23**
Bloomhill Clo. *Moor* —1F **7**
Bloomhill Ct. *Moor* —1F **7**
Bloom Hill Gro. *Moor* —2F **7**
Bloomhill Rd. *Moor* —2E **6**
Blossom Av. *Ask* —6F **5**
Blow Hall Cres. *Edl'tn* —7A **34**
Blow Hall Riding. *Edl'tn* —1B **42**
Bluebell Ct. *Blax* —4G **39**
Blundell Clo. *Donc* —2E **36**
Blyth Ga. La. *Tick* —6H **47**
Blyth Rd. *Harw* —7F **49**
Blyth Rd. *Scro* —7A **50**
Blyth Rd. *Tick* —4E **48**
Boating Dyke Way. *Thorne* —6D **6**
Boat La. *Spro* —1K **33**
Boisters Rd. *Con* —1C **4**
Bolton Hill Rd. *Donc* —3E **36**
(in two parts)
Bolton Rd. *Swint* —6B **30**
Bolton Rd. *Wath D* —2D **30**
Bolton Rd. Workshops. *Wath D*
—2D **30**
Bolton St. *Den M* —5B **32**

Chelmsford Dri.—Dale Rd.

Fitzwilliam Dri. *H'ton* —4B **30**
Fitzwilliam St. *Swint* —6C **30**
(in three parts)
Five La. Ends. *Skell* —5G **9**
Five Oaks. *Ark* —4J **19**
Fixby Ho. *Donc* —6G **27**
(off St James St.)
Fleet La. *Stain* —1A **14**
Fleets Clo. *Stain* —1A **14**
Flint Rd. *Donc* —2C **28**
Flintway. *Wath D* —6A **30**
Florence Av. *Donc* —1E **34**
Flowitt St. *Donc* —6F **27**
Flowitt St. *Mexb* —4F **31**
Folder La. *Spro* —7J **25**
Folds La. *Tick* —7J **47**
Foljambe Cres. *New R* —1D **44**
Fonteyn Ho. *Donc* —2K **27**
Fontwell Dri. *Mexb* —3H **31**
Fordstead La. *Ark & Barn D* —2K **19**
Fore Hill Av. *Donc* —3D **36**
Fore's Rd. *Arm* —3J **29**
Forest Ri. *Donc* —4C **34**
Forrester's Clo. *Nor* —2A **4**
Forster Rd. *Donc* —3F **35**
Fossard Clo. *Donc* —1A **28**
Fossard Way. *Scawt* —6D **18**
Foster Rd. *Thorne* —5D **6**
Foster's Clo. *Swint* —6C **30**
Fothergill Dri. *E'thpe* —4G **21**
Foundry La. *Thorne* —6D **6**
Foundry Rd. *Donc* —7F **27**
Fourth Av. *Donc F* —6D **38**
Fourth Av. *W'land* —4K **17**
Fourth Sq. *Stain* —2A **14**
Fowler Bri. Rd. *Ben* —7G **19**
Fowler Cres. *New R* —1E **44**
Fox Ct. *Swint* —7D **30**
Foxglove Clo. *Blax* —3H **39**
Fox Gro. *Warm* —3A **34**
Foxhill Rd. *Thorne* —7F **7**
Fox Hole La. *Tick* —2H **47**
Foxland Av. *Swint* —7A **30**
Fox La. *Barn* —2B **30**
Frances St. *Donc* —5H **27**
Franklin Cres. *Donc* —5K **27**
Frank Rd. *Donc* —2F **27**
Frederick St. *Mexb* —5F **31**
French Ga. *Donc* —4G **27**
(in two parts)
Frenchgate Shop. Cen. *Donc* —5G **27**
French St. *Ben* —5F **19**
French St. *Skell* —5J **9**
Friars Ga. *Donc* —4G **27**
Friars La. *Tick* —5J **47**
Frithbeck Clo. *Arm* —2H **29**
Frobisher Grange. *Finn* —7G **39**
Fulford Way. *Con* —6G **33**
Fullerton Av. *Con* —7B **32**
Fullerton Clo. *Skell* —4H **9**
Fulwood Dri. *Donc* —5F **35**
Furlong La. *H'ton* —7A **30**
Furlong Vw. *Barn* —3A **30**
Furlong Vw. *H'ton* —3A **30**
Furnivall Rd. *Donc* —1E **34**

Gainford Rd. *Moor* —1G **7**
Gainford Sq. *Moor* —1G **7**
Gainsborough Rd. *Baw* —5C **50**
Gaitskell Clo. *Maltby* —7A **46**
Galsworthy Clo. *Donc* —4D **34**
(in two parts)
Galway Av. *Birc* —6K **49**
Galway Dri. *Birc* —6K **49**
Galway M. *Harw* —7G **49**
Galway Rd. *Birc* —6K **49**
Gant Ct. *Tick* —3A **48**
Gardenia Rd. *Kirk S* —4E **20**
Garden La. *Cad* —3F **33**
Garden La. *Donc* —7D **26**
Garden La. *Rav* —7A **40**
Garden Rd. *Moor* —1G **7**
Gardens La. *Con* —7D **32**
Gardens, The. *Donc* —2D **36**
Garden St. *Mexb* —4G **31**
Garden Ter. *Ben* —7F **19**
Gargrave Clo. *Ask* —5G **5**
Gate Ho. La. *Auc* —4D **38**
Gatesbridge Pk. *Finn* —5H **39**
(in two parts)
Gatewood La. *Hat* —2F **23**
Gateworth Gro. *Ask* —5F **5**
Gattison La. *New R* —2F **45**
Gayton Clo. *Donc* —4E **34**
Gayton Ct. *Donc* —4E **34**
Geneva Sq. *Moor* —2G **7**

Genoa St. *Mexb* —4H **31**
George Pl. *Mexb* —4J **31**
George St. *Arm* —1F **29**
George St. *Ben* —5E **18**
George St. *Carc* —4K **9**
Gibbet Hill La. *Scro* —7B **50**
Gibbon La. *Thorne* —1G **15**
Gibbon La. S. *Hat* —3K **15**
Gibson Rd. *Lind* —7J **23**
Gifford Dri. *Warm* —3B **34**
Gilberthorpe Rd. *Donc* —2D **34**
Gilbert Rd. *Birc* —7H **49**
Gill St. *Donc* —6H **27**
Glade Vw. *Kirk S* —3F **21**
Gladstone Pl. *Mexb* —4E **30**
Gladstone Rd. *Donc* —7E **26**
Glamis Clo. *Donc* —5A **28**
Glastonbury Ga. *Donc* —3B **26**
Glebe Farm Clo. *Arm* —1G **29**
Glebe Rd. *Cam* —4B **4**
Glebe Rd. *Thorne* —6F **7**
Glebe St. *Warm* —3B **34**
Glen Bungalow Cvn. Pk. *Ask* —7C **4**
Glencairn Clo. *Maltby* —6A **46**
(off Lumley Clo.)
Glencoe Clo. *D'cft* —6C **14**
Glendale Rd. *Spro* —7K **25**
Gleneagles Dri. *Donc* —3H **37**
Gleneagles Ri. *Swint* —7D **30**
Glen Fld. Av. *Donc* —7E **26**
Glen Rd. *Bran* —1A **38**
Gliwice Way. *Donc* —7B **28**
Gloucester Rd. *Donc* —3A **28**
Glyn Av. *Donc* —4J **27**
Godfrey Rd. *Thorne* —6G **7**
Golden Smithies La. *Swint & Wath D*
—6B **30**
Goldsborough Rd. *Donc* —5A **28**
Goldsmith Rd. *Donc* —3G **35**
Gomersall Av. *Con* —7B **32**
Goodison Boulevd. *Donc* —1E **36**
Goodison Ct. *Donc* —1E **36**
Goodwin Cres. *Swint* —5C **30**
Goodwood Gdns. *Donc* —6D **28**
Goosehill Ct. *Bal* —5F **35**
Gordon Rd. *Edl'tn* —7K **33**
Gordon Sq. *Stain* —3B **14**
Gordon St. *Donc* —5G **27**
Gorse Clo. *D'ville* —2B **22**
Goulding St. *Mexb* —5F **31**
Gowdall Grn. *Ben* —4E **18**
Grace Rd. *Edl'tn* —6A **34**
Graftdyke Clo. *Ross* —1H **45**
Graham Rd. *Kirk S* —4F **21**
Grainger Clo. *Edl'tn* —1J **41**
Grampian Clo. *Donc* —3C **26**
Grampian Way. *Thorne* —1J **15**
(in two parts)
Granby Ct. *Arm* —3J **29**
Granby Cres. *Donc* —6K **27**
Granby La. *New R* —7D **36**
Granby Rd. *Edl'tn* —7A **34**
Grange Av. *Baw* —3B **50**
Grange Av. *Donc* —2E **34**
Grange Clo. *Ask* —5G **5**
Grange Clo. *Donc* —3F **37**
Grange Clo. *Hat* —6D **14**
Grange Ct. *Donc* —3F **37**
Grange Dri. *Harw* —6G **49**
Grangefield Av. *New R* —1F **45**
Grangefield Cres. *New R* —1F **45**
Grangefield Ter. *New R* —1F **45**
Grange Gro. *Moor* —1F **7**
Grange La. *A'ley* —5C **34**
(in two parts)
Grange La. *Burg* —3H **9**
Grange La. *H'ton* —3C **30**
Grange La. *New R* —2D **44**
(in two parts)
Grange Pk. *Kirk S* —2G **21**
Grange Rd. *Cam* —4B **4**
Grange Rd. *Donc* —3F **37**
Grange Rd. *Moor* —1F **7**
Grange Rd. *New R* —2E **44**
Grange Rd. *Swint* —7B **30**
Grange Rd. *Toll B* —3E **18**
Grange Rd. *W'land* —4A **38**
Grange Sq. *Moor* —1G **7**
Grange, The. *Skell* —4J **9**
Grange Vw. *Bal* —1E **34**
Grange Vw. *Harw* —6G **49**
Grange Way. *Den M* —6B **32**
Grantham St. *New R* —1E **44**
Granville Cres. *Stain* —3B **14**
Grasmere Av. *Donc* —4C **28**
Grasmere Clo. *Mexb* —3K **31**

Grasmere Rd. *Carc* —5A **10**
Grasmere Rd. *Con* —7D **32**
Gray Gdns. *Don* —3F **35**
Grays Ct. *Den M* —5C **32**
Gt. Black La. *Tick* —5C **48**
Gt. Central Av. *Donc* —1F **35**
Gt. North Rd. *Adw S & W'land* —7G **9**
Gt. North Rd. *Donc* —2D **36**
Gt. North Rd. *Ross & Baw*
—6J **37** & 1B **50**
Gt. North Rd. *Scro* —7B **50**
Gt. North Rd. *S'brke & Skell* —1F **9**
(in two parts)
Gt. North Rd. *W'land & Scawt* —5A **18**
Greaves Sike La. *Mickle* —7F **41**
Greenacre Clo. *D'ville* —3B **22**
Green Av. *H Mel* —5E **24**
Green Balk. *Maltby* —5H **41**
Green Boulevd. *Donc* —1E **36**
Green Comn. *Arm* —3H **29**
Grn. Dyke La. *Donc* —7G **27**
Greenfield Clo. *Barn D* —1G **21**
Greenfield Clo. *Arm* —3J **29**
Greenfield Ct. *Adw D* —1F **31**
Greenfield Gdns. *Donc* —2G **37**
Greenfield La. *Donc* —7E **26**
Green Ho. Rd. *Donc* —2B **28**
Greenlands Av. *Ross* —7G **37**
Green La. *Ask* —6D **4**
Green La. *Barn* —2A **30**
Green La. *Cant* —7H **29**
Green La. *D'ville* —4J **21**
Green La. *Hat* —5E **22**
Green La. *Kirk B* —2G **13**
Green La. *Scawt* —5C **18**
Green La. *Skell* —3G **9**
Green La. *Tick* —6K **47**
Green La. *Wadw* —4E **42**
Green La. *W'land* —3J **17**
Greenleafe Av. *Donc* —1C **28**
Green's Rd. *D'ville* —2B **22**
Green St. *Donc* —3D **34**
Green, The. *Auc* —2C **38**
Green, The. *Barn* —2C **30**
Green, The. *Finn* —6G **39**
Green, The. *Harw* —7E **48**
Green, The. *Moor* —1G **7**
Green, The. *Old De* —6J **31**
Green, The. *Swint* —7B **30**
Green, The. *Thorne* —6E **6**
Greenwood Av. *Bal* —1D **34**
Greenwood Av. *Harw* —6F **49**
Greenwood Wlk. *Ask* —5G **5**
Gregory Cres. *Harw* —7E **48**
Grenfell Av. *Mexb* —4H **31**
Greno Rd. *Swint* —7D **30**
Grenville Rd. *Donc* —3C **34**
Gresley Av. *Baw* —3C **50**
Gresley Rd. *Bal* —7F **27**
Greyfriars Rd. *Donc* —4G **27**
Greystone Clo. *Tick* —5K **47**
Greystone La. *Tick* —3J **47**
Grice Clo. *Donc* —6F **29**
Griffin Rd. *Swint* —6B **30**
Grosvenor Cres. *Ark* —5H **19**
Grosvenor Cres. *Warm* —3B **34**
Grosvenor Rd. *Birc* —7H **49**
Grosvenor Rd. *W'land* —2K **17**
Grosvenor Ter. *Warm* —3B **34**
Grove Av. *Donc* —1C **28**
Grove Ct. *Marr* —1E **24**
Gro. Hall Clo. *E'thpe* —5G **21**
Gro. Hill Rd. *Donc* —1C **28**
Grove Pl. *Donc* —6G **27**
Grove Rd. *K Ind* —3D **20**
Grove, The. *Barn D* —6E **12**
Grove, The. *Donc* —3A **28**
(in two parts)
Grove Va. *Donc* —1C **28**
Guest La. *Warm* —2B **34**
Guildford Rd. *Donc* —1B **28**
Guildhall Ind. Est. *K Ind* —4E **20**
Guile Carr La. *D'cft* —4D **14**
Gullane Dri. *Warm* —3B **34**
Gunhills La. *Arm* —1J **29**
Gunhills La. Ind. Est. *Arm* —1J **29**
Gurney Rd. *Donc* —3F **35**
Gurth Av. *E'thpe* —5G **21**
Gurth Av. Cvn. Site. *E'thpe* —5G **21**

Haddon Ri. *Mexb* —3K **31**
Hadds Nook Rd. *Thorne* —1B **6**
Hadrians Clo. *Ross* —3G **45**
Haig Cres. *New R* —2E **44**
Haig Cres. *Stain* —3B **14**
Haigh Rd. *Donc* —2E **34**
Haig Rd. *Moor* —1G **7**

Hakehill Clo. *Donc* —3D **36**
Haldynby Gdns. *Arm* —2J **29**
Hale Hill La. *Hat W* —2G **23**
(in two parts)
Halifax Av. *Con* —7C **32**
Halifax Cres. *Donc* —2C **26**
Hallam Clo. *Donc* —2C **36**
Hall Av. *Mexb* —4H **31**
Hall Balk La. *Love* —7G **35**
Hallcroft Dri. *Arm* —4J **29**
Hall Cross Hill. *Donc* —6J **27**
Hall Flat La. *Donc* —2E **34**
Hall Ga. *Donc* —5H **27**
Hall Ga. *Mexb* —5J **31**
Hall La. *Nor* —2B **4**
Hall La. *Stain* —2G **13**
Hallside Ct. *Cant* —7H **29**
Hall St. *Barn* —2C **30**
Hall Vw. Rd. *Ross* —3G **45**
Hall Villa La. *Toll B* —2E **18**
Halmshaw Ter. *Ben* —4H **31**
Hameline Rd. *Con* —7D **32**
Hamilton Clo. *Donc* —7K **27**
Hamilton Clo. *Mexb* —3J **31**
Hamilton Pk. Rd. *Donc* —2B **26**
Hamilton Rd. *Donc* —7K **27**
Hampden Cres. *Lind* —7J **23**
Hampden Rd. *Mexb* —4G **31**
Hampole Balk La. *Skell* —5G **9**
Hampole Fld. La. *Ham* —5B **8**
Hampson Gdns. *E'thpe* —4G **21**
Hampton Rd. *Donc* —5K **27**
Hampton Rd. *D'cft* —6B **14**
Hanbury Clo. *Donc* —5E **34**
Handley Sq. *Donc F* —5D **38**
Handsworth Gdns. *Arm* —2J **29**
Hangman Stone La. *H Mel* —4C **24**
Hangman Stone Rd. *H Mel* —7B **24**
Hangthwaite La. *W'land* —4A **18**
Hangthwaite Rd. *Adw S* —7B **10**
Hansby Clo. *Tick* —4B **48**
Hanslope Vw. *Kirk S* —2C **20**
Harcourt Clo. *Donc* —2C **36**
Hardie Clo. *Maltby* —7A **46**
Hardwick Ct. *Birc* —6H **49**
Hardy Rd. *Donc* —2J **27**
Harewood Av. *Kirk S* —3F **21**
Harewood Av. *W'land* —2H **17**
Harewood Ct. *Birc* —6H **49**
Harewood Ct. *Ross* —2H **45**
Harewood Rd. *Baw* —3C **50**
Harewood Rd. *Donc* —5A **28**
Harlington. *H'ton* —3C **30**
Harlington Ct. *Den M* —6C **32**
Harlington Rd. *Adw D* —1F **31**
Harlington Rd. *Mexb* —4H **31**
(in two parts)
Harmby Clo. *Skell* —4H **9**
Harold Av. *W'land* —2J **17**
Harpenden Clo. *D'cft* —1C **22**
Harpenden Dri. *D'cft* —1C **22**
Harrington Dri. *Donc* —4H **27**
Harrogate Dri. *Den M* —6A **32**
Harrop Garden Flats. *Swint* —6D **30**
(off Queen St.)
Harrowden Rd. *Donc* —2J **27**
Harrow Rd. *Arm* —1J **29**
Harthill Rd. *Con* —1C **40**
Hartland Cres. *E'thpe* —5F **21**
Hartley St. *Mexb* —5F **31**
Harvest Clo. *Bal* —1D **34**
Harvest Clo. *E'thpe* —4G **21**
Harvey Clo. *Finn* —5G **39**
Harworth Pl. *Baw* —4C **50**
Haslam Rd. *New R* —1F **45**
Haslemere Gro. *Donc* —2E **26**
Hatchell Dri. *Donc* —4G **37**
Hatchell Wood Vw. *Donc* —4H **37**
Hatfield Ho. *Donc* —6G **27**
(off St James St.)
Hatfield La. *Barn D* —7F **13**
(in two parts)
Hatfield La. *E'thpe & Arm* —5H **21**
Hatfield Rd. *Thorne* —7E **6**
Hatherley Rd. *Swint* —4D **30**
Hatter Dri. *Edl'tn* —2K **41**
Hauxwell Clo. *Skell* —4H **9**
Havelock Rd. *Donc* —7G **27**
Hawes Clo. *Mexb* —3J **31**
Hawfield Clo. *Donc* —7E **26**
Hawke Clo. *Nor* —2C **4**
Hawke Rd. *Donc* —2K **27**
Hawkins Clo. *Harw* —6G **49**
Hawksley Clo. *Arm* —2H **29**
Hawksley Ct. *Arm* —1H **29**
Hawthorn Av. *Arm* —7H **21**
Hawthorne Av. *D'ville* —3A **22**

Kirkstead Ct.—Marian Rd.

Norton Comn. Rd.—Queen St.

Norton Comn. Rd. *Nor* —2D **4**
(in two parts)
Norton Mill La. *Nor* —1A **4**
Norton Rd. *Donc* —3B **28**
Norwich Rd. *Donc* —1A **28**
Norwith Rd. *Donc* —3D **36**
Norwood Av. *Auc* —2C **38**
Norwood Dri. *Ben* —4F **19**
Norwood Rd. *Con* —7D **32**
Norwood Rd. *D'cft* —5B **14**
Nostel Ho. Donc —6G **27**
(off St James St.)
Nostell Pl. *Donc* —3D **36**
Nottingham Clo. *Donc* —2B **26**
Novello St. *Maltby* —7A **46**
Nunthorpe Clo. *Hat* —7D **14**
Nursery La. *Spro* —2J **33**
Nutfields Gro. *Stain* —2B **14**
Nutwell Clo. *Donc* —3E **36**
Nutwell La. *Arm & Cant* —2J **29**

Oak Clo. *Mexb* —4E **30**
Oak Clo. *Wath D* —5A **30**
Oak Ct. *Mexb* —4E **30**
Oak Ct. *Spro* —7B **26**
Oak Cres. *Thorne* —4E **6**
Oakcrest. *Donc* —5H **37**
Oakdale Clo. *E'thpe* —6F **21**
Oak Dale Rd. *Warm* —5A **34**
Oakdene. *New R* —2F **45**
Oak Gro. *Arm* —7G **21**
Oak Gro. *Con* —1C **40**
Oakhill Rd. *Donc* —2B **28**
Oakland Av. *D'cft* —7C **14**
Oaklands. *Bes* —5J **37**
Oaklands Dri. *Donc* —1D **36**
Oaklands Gdns. *Donc* —2D **36**
Oakland Ter. *Edl'tn* —7B **33**
Oakmoor Gro. *Moor* —1G **7**
Oakmoor Rd. *Moor* —1G **7**
Oak Rd. *Arm* —7G **21**
Oak Rd. *Mexb* —4E **30**
Oak Rd. *Thorne* —4E **6**
Oak Ter. *Donc* —7C **32**
Oak Tree Av. *Auc* —5B **38**
Oak Tree Rd. *Baw* —4B **50**
Oak Tree Rd. *Bran* —7K **29**
Oakwell Dri. *Ask* —5G **5**
Oakwood Dri. *Arm* —3G **29**
Oakwood Dri. *Bran* —1K **37**
Oakwood Rd. *Donc* —2D **34**
Oddy La. *Tick* —7J **43**
Ogden Rd. *Donc* —7D **20**
Old Bawtry Rd. *Finn* —7F **39**
Old Carpenter's Yd. *Stain* —1A **14**
Old Epworth Rd. E. *Hat* —7G **15**
Old Epworth Rd. W. *Hat* —7F **15**
Old Farm Ct. *Mexb* —3E **30**
Oldfield Av. *Con* —7B **32**
Oldfield Clo. *Barn D* —7H **13**
Old Fld. Clo. *Stain* —3K **13**
Oldfield Cres. *Stain* —3A **14**
Old Fld. La. *Stain* —4H **13**
(in three parts)
Oldfield La. Flats. *Stain* —3A **14**
Oldfield Rd. *Thorne* —7F **7**
Old Guildhall Yd. *Donc* —5G **27**
Old Hall Clo. *Spro* —7A **26**
Old Hall Cres. *Ben* —7F **19**
Old Hall Pl. *Ben* —7F **19**
Old Hall Rd. *Ben* —7F **19**
Old Hall Rd. *Skell* —4J **9**
Old Hexthorpe. *Donc* —7D **26**
Old Hill. *Con* —7E **32**
Old Ho. La. *Ask* —2A **12**
Old Mill Rd. *Con* —1F **41**
Old Rd. *Con* —2B **40**
Old School La. *Wadw* —3F **43**
Old Scotch Spring La. *S'ton*
—3C **46**
Old St. *Donc & Ham* —1B **16**
(in three parts)
Old Thorne Rd. *Hat* —6F **15**
Old Village St. *Burg* —2J **9**
Oliver Rd. *Donc* —2E **34**
Oliver St. *Mexb* —4F **31**
Omega Boulevd. *Thorne* —6C **6**
Orange Cft. *Tick* —4B **48**
Orchard Clo. *D'ville* —2B **22**
Orchard Clo. *Kirk S* —3E **20**
Orchard Clo. *Nor* —2B **4**
Orchard Cft. *Baw* —4C **50**
Orchard Dri. *D'ville* —2B **22**
Orchard La. *Nor* —2B **4**
Orchard La. *Moor* —2G **7**

Orchard M. *Donc* —3D **26**
Orchard St. *Donc* —7F **27**
Orchard St. *Thorne* —6E **6**
Orchard, The. *Cam* —5A **4**
Orchard, The. *S'ton* —3C **46**
Orchard Wlk. *Auc* —2C **38**
Orchard Way. *Tick* —4K **47**
Orgreave Ho. Donc —6G **27**
(off Burden Clo.)
Ormesley Clo. *Donc* —3C **26**
Ormonde Way. *New R* —2E **44**
Ormsby Clo. *Donc* —5E **34**
Osberton St. *Wadw* —3G **43**
Osborne Av. *W'land* —2H **17**
Osborne Rd. *Donc* —4K **27**
Osprey Clo. *Adw S* —1K **17**
Oswin Av. *Bal* —1D **34**
Otley Clo. *Con* —7F **33**
Oulton Ri. *Mexb* —3K **31**
Ouse Ter. *Con* —6E **32**
Outgang La. *Maltby* —7A **46**
(in two parts)
Oval, The. *Con* —6E **32**
Oval, The. *Donc* —7C **28**
Oval, The. *D'cft* —5B **14**
Oval, The. *Tick* —3B **48**
Oval, The. *W'land* —1H **17**
Oversley Rd. *Donc* —2K **27**
Owston La. *Carc & H'lme* —4B **10**
Owston Rd. *Carc* —5A **10**
Ox Carr. *Arm* —2G **29**
Oxford Dri. *Harw* —6F **49**
Oxford Pl. *Donc* —6G **27**
Oxford St. *Mexb* —4E **30**
Oxford St. *New R* —1E **44**
Oxton Dri. *Warm* —3B **34**

Packington Rd. *Donc* —2G **37**
Paddock Clo. *Donc* —3C **26**
Paddock Cft. *Swint* —6B **30**
Paddock La. *Thorne* —4C **6**
Paddock La. *Tick* —5C **42**
Paddocks, The. *Auc* —3C **38**
Paddocks, The. *Cad* —3F **33**
Paddocks, The. *Donc* —3B **26**
Paddock, The. *Adw S* —1A **18**
Paddock, The. *Barn D* —6E **12**
Paddock, The. *Tick* —4K **47**
Paitfield La. *Ask* —3K **11**
Palington Gro. *Donc* —7E **28**
Palm Av. *Arm* —1J **29**
Palmer La. *B'wte* —1F **13**
Palmer St. *Donc* —7J **27**
Palm Gro. *Con* —1C **40**
Pamela Dri. *Warm* —3A **34**
Paper Mill La. *Tick* —3C **48**
Park Av. *Arm* —1F **29**
Park Av. *Carc* —6A **10**
Park Av. *Con* —1E **40**
Park Av. *Mexb* —4G **31**
Park Av. *Spro* —7A **26**
Park Clo. *Arm* —2H **29**
Park Clo. *Spro* —7A **26**
Park Clo. *Swint* —6C **30**
Park Cres. *Thorne* —7E **6**
Park Cres. *Warm* —4A **34**
Park Dri. *Cam* —4A **4**
Park Dri. *Spro* —7K **25**
Parkgate Av. *Con* —7C **32**
Park Hill. *Barn D* —2G **21**
Parkhill Cres. *Barn D* —7G **13**
PARK HILL HOSPITAL. —3K 27
Parkhill Rd. *Barn D* —7G **13**
Parkinson St. *Donc* —3H **27**
Parkland Dri. *Ross* —1H **45**
Parklands. *E'thpe* —6F **21**
Parklands Clo. *Ross* —1G **45**
Parkland Wlk. *Blax* —3H **39**
Park La. *Blax* —3G **39**
Park La. *Con* —3C **40**
(in two parts)
Park La. *Donc* —6C **28**
Park La. *D'ville* —4A **22**
Park La. *Nor* —1B **4**
Park La. *Rav* —7C **40**
Pk. Lane Clo. *D'ville* —3B **22**
Pk. Lane Rd. *D'ville* —3A **22**
Park Rd. *Ask* —6D **4**
Park Rd. *Baw* —5B **50**
Park Rd. *Ben* —6E **18**
Park Rd. *Con* —1D **40**
Park Rd. *Donc* —5H **27**
Park Rd. *Mexb* —4G **31**
Park Rd. *Moor* —2G **7**
Park Rd. *Swint* —7B **30**
Parks Rd. *D'cft* —5B **14**
Parkstone Gro. *Hat* —7D **14**

Parkstone Way. *Donc* —1C **28**
Park Ter. *Donc* —5H **27**
Park, The. *W'land* —4J **17**
Park Vw. *Adw S* —2A **18**
Park Vw. *Brod* —4E **16**
Park Vw. *Mexb* —4E **30**
Park Vw. *Thorne* —7E **6**
Park Way. *Adw S* —1K **17**
Parkway. *Arm* —3H **29**
Parkway N. *Donc* —2K **27**
Parkways. *Hat* —7D **14**
Parkway S. *Donc* —2K **27**
Parkwood Ri. *Barn D* —2G **21**
Partridge Flatt Rd. *Donc* —3F **37**
Partridge Ri. *Donc* —3F **37**
Partridge Rd. *Barn D* —7F **13**
Pashley Rd. *Thorne* —7F **7**
Passfield Rd. *Arm* —2G **45**
Pasture Clo. *Arm* —3G **29**
(in two parts)
Pasture Ct. *Ross* —2H **45**
Pasture La. *H Mel* —2C **32**
Pastures Rd. *Mexb* —4K **31**
Pastures, The. *Baw* —5C **50**
Patrick Stirling Ct. *Donc* —7E **26**
Patterdale Clo. *Carc* —5A **10**
Pavillion Clo. *Arm* —6A **34**
Paxton Av. *Carc* —5B **10**
Paxton Cres. *Arm* —1F **29**
Peacehaven. *Barn D* —7F **13**
Peake Av. *Con* —7C **32**
Peake's Cft. *Baw* —4C **50**
Peakstone Clo. *Bal* —2D **34**
Pear Tree Clo. *B'wte* —1F **13**
Pear Tree M. *Love* —7G **35**
Pearwood Cres. *Donc* —4D **34**
Peastack La. *Tick* —2K **47**
Peel Castle Rd. *Thorne* —7F **7**
Peel Hill Rd. *Thorne* —7F **7**
Pell's Clo. *Donc* —5G **27**
Pembroke Av. *Donc* —3E **34**
(in two parts)
Pembroke Rd. *Donc* —2B **26**
Penistone St. *Donc* —4H **27**
Pennine Rd. *Thorne* —1J **15**
Penrith Rd. *Donc* —4C **28**
Perran Gro. *Cusw* —3D **26**
Persimmon Clo. *New R* —3F **45**
Perth Clo. *Mexb* —3J **31**
Petersgate. *Donc* —7D **18**
Peter's Rd. *Edl'tn* —1K **41**
Petunia Rd. *Kirk S* —4F **21**
Peveril Rd. *Donc* —3C **34**
Pheasant Bank. *Ross* —1G **45**
Piccadilly. *Ben* —7E **18**
Piccadilly Rd. *Swint* —7C **30**
Pickburn La. *Pick* —4E **16**
Pickering Gro. *Thorne* —7E **6**
Pickering Rd. *Ben* —4E **18**
Pickle Wood Ct. *Finn* —5G **39**
Pilgrim Ri. *Aus* —2E **50**
Pinefield Av. *Barn D* —1G **21**
Pinefield Rd. *Barn D* —1G **21**
Pine Gro. *Con* —2C **40**
Pine Gro. Ct. *Thorne* —5F **7**
Pine Hall Rd. *Barn D* —1F **21**
Pinehurst Ri. *Swint* —7D **30**
Pine Rd. *Donc* —1F **37**
Pinewood Av. *Arm* —7H **21**
Pinewood Av. *Donc* —4C **34**
Pinfold Clo. *Finn* —6G **39**
Pinfold Clo. *Swint* —7C **30**
Pinfold Clo. *Tick* —4A **48**
Pinfold Ct. *Barn D* —1F **21**
Pinfold Lands. *Mexb* —5H **31**
Pinfold La. *Nor* —2B **4**
Pinfold La. *Thorne* —5D **6**
Pinfold La. *Tick* —5K **47**
Pinfold Pl. *Tick* —4K **47**
Pinfold, The. *Barn* —1C **30**
Pioneer Clo. *Barn D* —3D **30**
Pipering La. E. *Donc* —1D **26**
Pipering La. W. *Donc* —1C **26**
Pitman Rd. *Den M* —6A **32**
Pittam Clo. *Arm* —2H **29**
Pitt St. *Mexb* —4J **31**
Plane Clo. *Donc* —1F **37**
Plane Tree Way. *Auc* —6B **38**
Planet Rd. *Adw S* —7A **10**
Plantation Av. *Donc* —5H **37**
Plantation Clo. *Ask* —6G **5**
Plantation Rd. *Ark* —7A **12**
Plantation Rd. *Bal* —5G **35**
Plantation Rd. *Thorne* —6E **6**
Plaster Pits La. *Spro* —4K **25**
Plover Ct. *Ross* —1G **45**
Plumpton Av. *Mexb* —3J **31**
Plumpton Gdns. *Donc* —3G **37**

Plumpton Pk. Rd. *Donc* —4G **37**
Plumtree. *Birc* —6J **49**
Plumtree Cvn. Pk. *Birc* —6H **49**
Plumtree Farm Ind. Est. *Birc* —5J **49**
Plumtree Hill Rd. *Fish* —1A **14**
Plumtree Rd. *Birc* —5J **49**
Plunket Rd. *Donc* —4K **27**
Poffinder Wood Rd. *Stain* —1F **15**
Polton Clo. *Stain* —1C **14**
Polton Toft. *Stain* —1C **14**
Poltontoft La. *Stain* —1C **14**
Pool Av. *Ask* —5E **4**
Pool Dri. *Donc* —4H **37**
(in two parts)
Pope Av. *Con* —7B **32**
Pop La. *Con* —7E **32**
Poplar Clo. *Bran* —7K **29**
Poplar Clo. *Mexb* —3F **31**
Poplar Dri. *Donc* —2C **28**
Poplar Dri. *Wath D* —5A **30**
Poplar Gro. *Ask* —5E **4**
Poplar Gro. *Con* —2D **40**
Poplar Gro. *Swint* —6D **30**
Poplar Gro. *Warm* —5A **34**
Poplar Pl. *Arm* —2H **29**
Poplar Rd. *D'cft* —6B **14**
Poplar Rd. *Skell* —5K **9**
Poplars, The. *Barn* —2B **30**
Poplars, The. *Con* —1D **40**
Poplars, The. Thorne —4F **7**
(off King Edward Rd.)
Poplar Ter. *Ben* —7F **19**
Poplar Way. *Auc* —4C **38**
Poppyfields Way. *Bran* —2J **37**
Portland Pl. *Donc* —5G **27**
Portland Rd. *New R* —3F **45**
Portland St. *Swint* —6D **30**
Portman Ct. *Baw* —4B **50**
Potteric Carr Rd. *Donc* —7J **27**
Power Sta. Rd. *Donc* —4F **27**
Prescott Gro. *D'cft* —6C **14**
Priestley Clo. *Donc* —4D **34**
Primrose Circ. *New R* —2G **45**
Princegate. *Donc* —5H **27**
Prince's Cres. *Edl'tn* —6K **33**
Prince's Rd. *Donc* —7B **28**
Princess Av. *Stain* —2A **14**
Prince's Sq. *Kirk S* —3F **21**
Princess Rd. *Mexb* —4H **31**
Princess St. *W'land* —3K **17**
Prince's St. *Donc* —5H **27**
Prince St. *Swint* —5D **30**
Printing Office St. *Donc* —5G **27**
Prior Rd. *Con* —1D **40**
Priory Clo. *Con* —6E **32**
Priory Clo. *Mexb* —5J **31**
Priory Pl. *Donc* —5G **27**
Priory Rd. *Nor* —1A **4**
Prospect Pl. *Donc* —6G **27**
Prospect Rd. *Toll B* —3E **18**
Prospect St. *Nor* —2A **4**
Pudding and Dip La. *Hat* —6D **14**
Pump Riding. *Edl'tn* —1B **42**
Purcell Clo. *Maltby* —7A **46**
Pym Rd. *Mexb* —4G **31**

Quaker La. *Warm* —3B **34**
Quantock Clo. *Thorne* —1J **15**
Quarry Hill Rd. *Wath D* —5A **30**
Quarry La. *Bran* —1K **37**
Quarry La. *Mexb* —2F **31**
Quarry La. *W'land* —3J **17**
Quarry Rd. *Nor* —2D **4**
Quarry St. *Mexb* —5H **31**
Quay Rd. *Thorne* —4C **6**
Quayside. *Thorne* —4C **6**
Queen Av. *New R* —1E **44**
Queen Elizabeth Ct. Thorne —6E **6**
(off Queens Ct.)
Queen Mary Cres. *Kirk S* —3F **21**
Queen Mary's Rd. *New R* —1E **44**
Queens Acre. *Swint* —5D **30**
Queen's Av. *Swint* —5D **30**
Queensberry Rd. *Donc* —3C **28**
Queen's Ct. *Donc* —2E **26**
Queens Ct. *Thorne* —6D **6**
Queen's Cres. *Baw* —4C **50**
Queen's Cres. *Edl'tn* —6K **33**
Queen's Cres. *Stain* —3A **14**
Queen's Dri. *Donc* —2E **26**
Queensgate. *Donc* —2E **26**
Queen's Rd. *Ask* —5F **5**
Queen's Rd. *Carc* —6A **10**
Queen's Rd. *Donc* —4J **27**
Queen's Ter. *Donc* —4G **31**
Queen St. *Donc* —1F **35**
(in two parts)

Queen St.—School Wlk.

Queen St. *Swint* —6D **30**
Queen St. *Thorne* —6D **6**
Quilter Rd. *Maltby* —7A **46**

Raby Rd. *Donc* —3K **27**
Racecourse Rd. *Swint* —6A **30**
Radburn Rd. *New R* —2E **44**
Radcliffe Clo. *Scawt* —6C **18**
Radcliffe La. *Scawt* —6C **18**
Radcliffe Mt. *Ben* —5E **18**
Radcliffe Rd. *Ben* —5E **18**
Radiance Rd. *Donc* —3J **27**
Radnor Way. *Donc* —3C **28**
Ragusa Dri. *New R* —3F **45**
Raikes St. *Mexb* —5F **31**
Rainford Sq. *Kirk S* —2F **21**
Rainton Rd. *Donc* —6J **27**
Raintree Ct. *Cusw* —3D **26**
Rake Bri. Bank. *D'ville* —4D **22**
(in two parts)
Rake Bri. Rd. *D'ville* —6B **22**
Rakes La. *Love* —7G **35**
Rakes La. *Old E* —5A **42**
Raleigh Ct. *Donc* —5B **28**
Raleigh Ter. *Donc* —3C **34**
Ramper La. *Barn D* —7E **12**
Ramsay Cres. *Donc* —2D **26**
Ramsden Rd. *Donc* —6E **26**
Ramsker Dri. *Arm* —3H **29**
Ramskir La. *Stain* —1B **14**
Ramskir Vw. *Stain* —2B **14**
Ramsworth Clo. *Donc* —3C **26**
Rands La. *Arm* —1J **29**
Rands La. Ind. Est. *Arm* —1K **29**
Ranyard Rd. *Donc* —2D **34**
Rasen Clo. *Mexb* —3J **31**
Ratten Row. *Wadw* —3G **43**
Rattigan Ho. Donc —2A 28
(off Beckett Rd.)
Ravenfield Rd. *Arm* —3J **29**
Ravenfield St. *Den M* —5B **32**
Ravenscar Clo. *Den M* —6A **32**
Ravens Wlk. *Con* —7G **33**
Ravenswood Dri. *Auc* —2C **38**
Ravensworth Rd. *Donc* —6J **27**
Raw La. *S'ton* —2C **46**
Rawson Clo. *Donc* —7F **29**
Rawson Rd. *Tick* —4K **47**
Raymond Rd. *Donc* —2D **26**
Rayton Ct. *Birc* —7G **49**
Reader Cres. *Swint* —5D **30**
Recreation La. *New R* —1E **44**
Recreation Rd. *W'land* —3K **17**
Rectory Gdns. *Donc* —4J **27**
Rectory Gdns. *Old E* —3J **41**
Rectory La. *Finn* —6F **39**
Rectory M. *Spro* —1K **33**
Redbourne Rd. *Ben* —6F **19**
Redcar Clo. *Den M* —7A **32**
Red Dike La. *Tick* —7C **42**
Redhall Clo. *Kirk S* —3G **21**
Redhill Ct. *Wadw* —3F **43**
Redhouse Cvn. Pk. *Hat W* —5H **23**
Red Ho. La. *Adw S* —7H **9**
Red Ho. La. *Pick & Adw S*
(in two parts) —2F **17**
Redland Cres. *Thorne* —4F **7**
Regent Av. *Arm* —3J **29**
Regent Ct. *Donc* —5J **27**
Regent Gro. *Donc* —3D **26**
Regent Gro. *New R* —2G **45**
Regent Sq. *Donc* —5J **27**
Regent St. *Donc* —2E **34**
Regent Ter. *Donc* —5J **27**
Remple Av. *Hat W* —1J **23**
Remple Comn. Rd. *Hat W* —3H **23**
Remple Hole Rd. *Hat W* —2H **23**
Remple La. *Hat W* —1J **23**
Repton Rd. *Skell* —6K **9**
Reresby Wlk. *Den M* —5B **32**
Retford Wlk. *Ross* —1H **45**
Rhodesia Ct. *Donc* —1D **36**
Richard La. *New R* —1E **44**
Rich Farm Clo. *Ark* —4H **19**
Richmond Dri. *Ask* —5G **5**
Richmond Hill Rd. *Donc* —6C **26**
Richmond La. *Baw* —5B **50**
Richmond Rd. *Donc* —1B **26**
Richmond Rd. *Moor* —1G **7**
Ridge Balk La. *W'land* —2H **17**
Ridge Rd. *High* —5K **17**
Ridge, The. *W'land* —3H **17**
Ridgewood Av. *E'thpe* —6F **21**
Ridgill Av. *Skell* —5J **9**
Riding Clo. *Donc* —3H **37**
Rig Dri. *Swint* —6A **30**
Riley Av. *Donc* —3D **34**
Ripon Av. *Donc* —2K **27**
Rise, The. *Swint* —7B **30**
Riverdale Rd. *Donc* —7C **18**
Riverhead. *Spro* —7K **25**
Riverside Ct. *Mexb* —5J **31**
Riverside Dri. *Spro* —1A **34**
Riverside Gdns. *Auc* —2B **38**
Riverside Gdns. *Bol D* —1D **30**
River Way. *Auc* —2B **38**
Riviera Mt. *Donc* —3F **27**
Riviera Pde. *Donc* —3F **27**
Roberts Av. *Con* —1F **41**
Robertson Sq. *Stain* —2A **14**
Roberts Rd. *Donc* —7F **27**
Roberts Rd. *Edl'tn* —1A **42**
Robin Hood Cres. *E'thpe* —6G **21**
Robin Hood Rd. *E'thpe* —6G **21**
Rochester Row. *Donc* —3B **26**
Rockcliffe Dri. *Wadw* —3F **43**
Rockingham Ct. *Swint* —6B **30**
Rockingham Ho. Donc —6G 27
(off Elsworth Clo.)
Rockingham Rd. *Donc* —3J **27**
Rockingham Rd. *Swint* —7A **30**
Rocklea Clo. *Swint* —7C **30**
Rockley La. *H'lme* —3D **10**
Rockley Nook. *Donc* —1B **28**
Rockliffe Av. *Donc* —3C **34**
Rock Ter. *Con* —1D **40**
Roe Cft. Clo. *Spro* —6K **25**
Roehampton Ri. *Donc* —3B **26**
Rolleston Rd. *Carc* —6K **9**
Roman Ridge. *Donc* —1C **26**
Roman Rd. *Donc* —6J **27**
Romwood Av. *Swint* —6A **30**
Ronald Rd. *Donc* —2E **34**
Rookery Rd. *Swint* —7B **30**
Rope Wlk. *Thorne* —6D **6**
Rose Av. *Donc* —1F **35**
Roseberry Av. *Hat* —7D **14**
Rose Cottage. *Barn D* —6F **13**
Rose Ct. *Bal* —1E **34**
Rose Cres. *Donc* —1C **26**
Rosedale Rd. *Ben* —5E **18**
Rosedale Rd. *Donc* —1B **26**
Rosegarth Clo. *Donc* —1D **26**
Rose Gro. *Arm* —2G **29**
Rose Hill. *Donc* —7C **28**
Rose Hill Cemetery & Crematorium. *Donc* —7E **28**
Rose Hill Ct. *Donc* —6C **28**
Rose Hill Ri. *Donc* —7C **28**
Rose Ho. *Arm* —2G **29**
Rose La. *Ask* —7C **4**
Rose La. *Tick* —7A **44**
Rosemary Gro. *Cad* —4F **33**
Rosewood Dri. *Barn D* —7E **12**
Rossington Ho. Donc —7G 27
(off Elsworth Clo.)
Rossington St. *Den M* —5B **32**
Rosslyn Cres. *Ben* —5F **19**
Rossmoor Clo. *Auc* —2C **38**
Rostholme Sq. *Ben* —5F **19**
Rotherham Rd. *Tick* —5J **47**
Rotherwood Clo. *Donc* —2B **26**
Rothesay Clo. *Cusw* —3D **26**
Round Hill Ct. *Donc* —1B **36**
Rowan Clo. *Auc* —5C **38**
Rowan Clo. *Moor* —2F **7**
Rowan Ct. *Donc* —2C **28**
Rowan Gth. *Donc* —2E **26**
Rowan Mt. *Donc* —2B **28**
Rowena Av. *E'thpe* —6F **21**
Rowena Dri. *Donc* —2B **26**
Rowena Rd. *Con* —7D **32**
Rowland Pl. *Donc* —6G **27**
Rowms La. *Swint* —6E **30**
Row, The. *Cant* —7H **29**
Roxby Clo. *Donc* —3D **36**
Royal Av. *Donc* —4J **27**
Royalty La. *Ark* —7B **12**
Royston Av. *Donc* —1E **26**
Ruddle La. *Mickle* —7F **41**
Ruddle Mill La. *S'ton* —2A **46**
Rufford Rd. *Donc* —7K **27**
Rufus La. *New R* —1D **44**
Runnymede Rd. *Donc* —4B **28**
Rural Cres. *Bran* —1K **37**
Rushley Clo. *Auc* —3C **38**
Rushy Moor Av. *Ask* —6F **5**
Rushy Moor La. *Ask* —5F **5**
(in two parts)
Rushy Moor Rd. *H'lme* —7G **5**
Ruskin Av. *Mexb* —3H **31**
Ruskin Dri. *Arm* —2J **29**
Ruskin Rd. *Donc* —3E **34**
Russell Av. *Harw* —7F **49**
Russet Gro. *Baw* —4C **50**
Ruthven Dri. *Warm* —2B **34**
Rutland Cres. *Harw* —6F **49**
Rutland Dri. *Harw* —6F **49**
Rutland La. *New R* —1D **44**
Rutland St. *Donc* —4J **27**
Rydall Pl. *Donc* —7D **18**
Rydal Rd. *Carc* —5A **10**
Rydal Way. *Mexb* —3J **31**
Rye Cft. *Con* —7G **33**
Rye Cft. *Tick* —3A **48**
Ryecroft Av. *Nor* —2A **4**
Ryecroft Rd. *Nor* —2A **4**
Ryedale Wlk. *Donc* —1A **26**
Ryton Way. *Donc* —3G **37**

Saffron Clo. *Tick* —4K **47**
Saffron Cres. *Tick* —4K **47**
Saffron Rd. *Tick* —4K **47**
St Agnes' Rd. *Donc* —6A **28**
St Andrews Clo. *Donc* —3H **37**
St Andrew's Clo. *Swint* —7D **30**
St Andrews Gro. *Hat* —7D **14**
St Andrew's Rd. *Con* —1D **40**
St Andrew's Ter. *Donc* —7H **27**
St Andrew's Way. *Barn D* —1G **21**
St Anne's Rd. *Donc* —6A **28**
St Augustine's Rd. *Donc* —7C **28**
St Bartholomews Ri. *Donc* —1D **36**
St Catherine's Av. *Donc* —1F **35**
St Catherine's Dri. *D'ville* —3A **22**
ST CATHERINE'S HOSPITAL. —4F 35
St Cecilia's Rd. *Donc* —7A **28**
St Chad's Sq. *Den M* —5B **32**
St Chad's Way. *Spro* —7A **26**
St Christopher's. Donc —2E 34
(off Hall Flat La.)
St Christopher's Cres. *Donc* —2C **26**
St Clement's Clo. *Donc* —2B **26**
St David's Dri. *Donc* —2B **26**
St David's Rd. *Con* —7D **32**
St Dominic's Clo. *Spro* —1K **33**
St Edwins Clo. *D'cft* —6C **14**
St Edwins Dri. *D'cft* —7C **14**
St Eric's Rd. *Donc* —1D **36**
St George Ga. *Donc* —5G **27**
St George's Av. *D'ville* —3B **22**
St George's Av. *Swint* —6B **30**
St Georges Clo. *Thorne* —7G **7**
St George's Rd. *Donc* —7B **28**
St Georges Rd. *Thorne* —7G **7**
St Giles Ga. *Donc* —3B **26**
St Helen's La. *Barn* —6A **24**
(in two parts)
St Helen's Rd. *Donc* —6A **28**
St Helen's Sq. *Kirk S* —3F **21**
St Hilda's Rd. *Donc* —6A **28**
St James Av. *D'ville* —2A **22**
St James Clo. *Kirk S* —3F **21**
St James Ct. *Donc* —6H **27**
St James' Gdns. *Donc* —7F **27**
St James's Bri. *Donc* —6G **27**
St James St. *Donc* —6G **27**
St John's Cft. *Wadw* —4F **43**
ST JOHN'S HOSPICE. —3E 34
St John's Rd. *Donc* —1E **34**
St John's Rd. *Edl'tn* —7K **33**
St John's Rd. *Swint* —6C **30**
St John's Wlk. *Adw D* —1G **31**
St Lawrence Rd. *D'cft* —7B **14**
St Lawrence's Ter. *Adw S* —1A **18**
St Leonards. *Tick* —4A **48**
St Leonard's Lea. *Donc* —2C **26**
St Luke's Clo. *D'ville* —3A **22**
St Margaret's Av. *Barn* —2B **30**
St Margaret's Dri. *Swint* —6B **30**
St Margaret's Rd. *Donc* —6A **28**
St Martins Av. *Baw* —3B **50**
St Martin's Av. *Donc* —2C **26**
St Mary's Ct. *Tick* —4A **48**
St Mary's Cres. *Donc* —4J **27**
St Mary's Cres. *Swint* —5C **30**
St Mary's Cres. *Tick* —4K **47**
St Mary's Dri. *Arm* —2J **29**
St Mary's Dri. *D'ville* —3A **22**
(in two parts)
St Mary's Ga. *Tick* —4A **48**
St Mary's M. *Tick* —4A **48**
St Mary's Rd. *Donc* —3J **27**
St Mary's Rd. *D'ville* —2A **22**
St Mary's Rd. *Edl'tn* —1A **42**
St Mary's Rd. *Tick* —3A **48**
St Michaels Av. *Ross* —7G **37**
St Michael's Av. *Swint* —5D **30**
St Michael's Clo. *Thorne* —7G **7**
St Michael's Dri. *Thorne* —7G **7**
St Michael's Rd. *Donc* —7B **28**
St Nicholas Clo. *E'thpe* —5E **20**
St Nicholas Rd. *Thorne* —5E **6**
St Nicholas Way. *Baw* —4C **50**
St Oswalds Clo. *Finn* —6F **39**
St Oswald's Dri. *E'thpe* —5F **21**
St Oswald's Dri. *Finn* —6G **39**
St Patrick's Rd. *Donc* —3A **28**
St Patrick's Way. *Donc* —2B **26**
St Paul's Pde. *Donc* —3B **26**
St Peter's Clo. *Barn* —1B **30**
St Peter's Dri. *Con* —1D **40**
St Peter's Rd. *Con* —1D **40**
St Peter's Rd. *Donc* —2C **34**
St Peter's Ter. *Ask* —5E **4**
St Sepulchre Ga. *Donc* —5G **27**
St Sepulchre Ga. W. *Donc* —6G **27**
St Stephens Wlk. *Donc* —3C **26**
St Thomas' Ct. *Donc* —3D **36**
St Thomas's Clo. *Donc* —3C **34**
St Ursula's Rd. *Donc* —6A **28**
St Vincent Av. *Donc* —4J **27**
St Vincent Av. *W'land* —1H **17**
St Vincent Rd. *Donc* —4J **27**
St Vincent's Av. *Bran* —2J **37**
St Wilfrids Ct. Donc —1E 36
(off Masham Rd.)
St Wilfrid's Rd. *Donc* —7C **28**
Salcombe Gro. *Baw* —3B **50**
Salisbury Rd. *Donc* —7E **26**
Samuel St. *Donc* —3D **34**
Sandall Beat La. *Donc* —2D **28**
Sandall Beat Rd. *Donc* —5B **28**
Sandall Carr Rd. *K Ind* —4E **20**
Sandall La. *K Ind* —2D **20**
(in two parts)
Sandall Pk. Dri. *Donc* —1C **28**
Sandall Ri. *Donc* —2B **28**
Sandall Stones Rd. *K Ind* —4D **20**
Sandal Rd. *Con* —1C **40**
Sandalwood Clo. *Donc* —7C **20**
Sandbeck Ct. *Den M* —6B **32**
Sandbeck Ct. *Ross* —2G **45**
Sandbeck Ho. Donc —6G 27
(off Grove Pl.)
Sandbeck La. *Maltby & Tick*
(in two parts) —7D **46** & 7F **47**
Sandbeck Rd. *Donc* —6K **27**
Sandcliffe Rd. *Donc* —2B **28**
Sandford Ct. *Donc* —2E **34**
Sandford Rd. *Donc* —3E **34**
Sandhill Ri. *Auc* —2B **38**
Sandhurst Rd. *Cant* —2G **37**
Sandown Gdns. *Donc* —6D **28**
Sandown Rd. *Mexb* —3H **31**
Sandpit Hill. *Bran* —1J **37**
Sandringham Ct. *Birc* —6G **49**
Sandringham Rd. *Donc* —5A **28**
Sandrock Dri. *Donc* —2E **36**
Sandrock Rd. *Harw* —6F **49**
Sandtoft Rd. *Hat* —6J **15**
Sandycroft Cres. *Donc* —2C **34**
Sandyfields Vw. *Carc* —5K **9**
Sandygate. *Wath D* —5A **30**
(in two parts)
Sandygate Cres. *Wath D* —5A **30**
Sandy La. *Donc* —7A **28**
Sandymount. *Harw* —6G **49**
Sandymount E. *Harw* —7G **49**
Sandymount W. *Harw* —7G **49**
Sarah St. *Mexb* —5G **31**
Sarrius Ct. *Cant* —1E **36**
Saundby Clo. *Donc* —2C **36**
Sawston Clo. *Donc* —5E **34**
Saxon Row. *Con* —1G **41**
Saxon Way. *Harw* —7F **49**
Saxton Av. *Donc* —1C **36**
Sayers Clo. *H'ton* —3B **30**
Scaftworth Clo. *Donc* —2C **36**
Scarborough Clo. *Tick* —4A **48**
Scarborough La. *New R* —1D **44**
Scarll Rd. *Donc* —7E **26**
Scarth Av. *Donc* —1F **35**
Scawsby La. *Scaw* —7K **17**
Scawthorpe Av. *Donc* —7B **18**
Scawthorpe Cotts. *Scawt* —7A **18**
Sceptre Gro. *New R* —3E **44**
Schofield St. *Mexb* —4F **31**
School Ct. Donc —4H 27
(off Dockin Hill Rd.)
School La. *Auc* —3C **38**
School La. *Cant* —1H **37**
School La. *S'ton* —3C **46**
School Ter. *Con* —7D **32**
School Wlk. *Baw* —4C **50**
School Wlk. *Den M* —5B **32**
School Wlk. *Old E* —3J **41**

Sylvestria Ct. *Ross* —1G **45**
Symes Gdns. *Donc* —7F **29**

Tadcaster Clo. *Den M* —7A **32**
Tait Av. *Edl'tn* —2K **41**
Talbot Av. *Barn D* —7F **13**
Talbot Circ. *Barn D* —7G **13**
Talbot Rd. *Birc* —7H **49**
Talbot Rd. *Swint* —6F **31**
Tarleton Clo. *Kirk S* —3G **21**
Tatenhill Gdns. *Donc* —2G **37**
Taunton Gdns. *Mexb* —3J **31**
Taylor St. *Con* —7F **33**
Teeside Clo. *Donc* —3B **26**
Telford Rd. *Donc* —3E **26**
Telson Clo. *Swint* —6A **30**
Temperance St. *Swint* —6D **30**
Temple Gdns. *Donc* —2G **37**
Templestowe Ga. *Con* —7G **33**
Tenby Gdns. *Donc* —2E **34**
Tennyson Av. *Arm* —2H **29**
Tennyson Av. *Cam* —4A **4**
Tennyson Av. *Donc* —4D **26**
Tennyson Av. *Mexb* —3H **31**
Tennyson Av. *Thorne* —6F **7**
Tennyson Rd. *Ben* —6F **19**
Ten Pound Wlk. *Donc* —1G **35**
Tenter Balk La. *Adw S* —2J **17**
Tenter La. *Warm* —3A **34**
Tenter Rd. *Warm* —3A **34**
Tewitt Rd. *Toll B* —3E **18**
Theaker La. *Aus* —7E **50**
Thealby Gdns. *Donc* —2C **36**
(in three parts)
Thellusson Av. *Donc* —2A **26**
Theobald Av. *Donc* —7K **27**
Theobald Clo. *Donc* —7J **27**
Theodore Rd. *Ask* —6C **4**
Thicket Dri. *Maltby* —5A **46**
Third Av. *Donc F* —5D **38**
Third Av. *W'land* —3A **18**
Third Sq. *Stain* —2A **14**
Thirlmere Ct. *Mexb* —3K **31**
Thirlmere Gdns. *Kirk S* —4F **21**
Thirlwall Av. *Con* —7C **32**
Thirsk Clo. *Den M* —7A **32**
Thomas Rd. *Stain* —3B **14**
Thomas St. *Edl'tn* —1K **41**
Thomas St. *Swint* —5D **30**
Thompson Av. *Edl'tn* —7K **33**
Thompson Av. *Harw* —6F **49**
Thompson Dri. *Hat* —7D **14**
Thompson Dri. *Swint* —7C **30**
Thompson Nook. *Hat* —6D **14**
Thompson Ter. *Ask* —5E **4**
Thomson Av. *Donc* —2D **34**
Thoresby Av. *Donc* —7K **27**
Thorncliffe Gdns. *Auc* —2C **38**
Thorne & Dikesmarsh Rd. *Thorne*
—2D **6**
Thorne Clo. *Harw* —7D **48**
Thorne Rd. *Aus* —1E **50**
Thorne Rd. *Baw* —3D **50**
Thorne Rd. *Blax* —3G **39**
Thorne Rd. *Donc* —5H **27**
Thorne Rd. *E'thpe* —6E **20**
Thorne Rd. *Hat* —6G **15**
Thorne Rd. *Stain* —2B **14**
Thorne Waste Drain Rd. *Thorne* —2K **7**
Thorn Gth. *Donc* —2E **26**
Thornham Clo. *Arm* —3H **29**
Thornhill Av. *Donc* —2B **28**
Thornhill Rd. *Harw* —7D **48**
Thorn La. *Donc* —5D **20**
Thornlea Ct. *Edl'tn* —1J **41**
Thorntondale Rd. *Donc* —1B **26**
Thorold Pl. *Kirk S* —2F **21**
Thorpe Bank. *Barn D* —4C **12**
(in two parts)
Thorpe Grange La. *H'lme* —2H **11**
Thorpehall Rd. *Kirk S* —4G **21**
(in two parts)
Thorpe La. *Ask* —5A **12**
Thorpe La. *Spro* —7K **25**
Thorpe Mere Rd. *Ark* —7A **12**
Thorpe Mere Vw. *Ark* —6A **12**
Thrislington Sq. *Moor* —1G **7**
Thrybergh Ct. *Donc* —6B **32**
Thurcroft Ho. *Donc* —6G **27**
(off St James St.)
Tickhill Bk. La. *Tick* —1C **46**
Tickhill Rd. *Baw* —4C **50**
Tickhill Rd. *Donc & Love* —2E **34**
(in two parts)
Tickhill Rd. *Harw* —5E **48**
Tickhill Rd. *Maltby & Tick* —7A **46**
TICKHILL ROAD HOSPITAL. —4F **35**

Tickhill Sq. *Den M* —6B **32**
Tickhill St. *Den M* —5B **32**
Tickhill Way. *Ross* —2H **45**
Tiltshills La. *Ben* —7E **10**
Tilts La. *Ben* —7G **11**
(in two parts)
Tithe Barn Ct. *Adw D* —1F **31**
Tithebarn La. *Thorne* —6F **7**
Tithes La. *Tick* —4A **48**
Tiverton Clo. *Swint* —7D **30**
Toad Holes La. *Ross* —6F **37**
Todmorden Clo. *Den M* —6A **32**
Toecroft La. *Spro* —7H **25**
Tofield Rd. *Wadw* —2E **42**
Toftstead. *Arm* —3H **29**
Toll Bar Rd. *Swint* —7B **30**
Tollsby La. *Hat* —7D **14**
Top Farm Ct. *Baw* —4C **50**
(off Top St.)
Top Fold Cotts. *Old De* —7J **31**
Top Hall Rd. *Donc* —3F **37**
Top La. *B'wte* —1G **13**
Top La. *Donc* —2B **36**
Top La. *S'ton* —3A **46**
Top Rd. *Barn D* —7F **13**
Top St. *Baw* —4C **50**
Top Vw. Cres. *Edl'tn* —2K **41**
Torksey Clo. *Donc* —4E **36**
Torne Clo. *Donc* —3G **37**
Torne Vw. *Auc* —1C **38**
Torrington Clo. *Adw S* —1J **17**
Towcester Way. *Mexb* —3J **31**
Tower Clo. *Scawt* —6B **18**
Town End. *Donc* —4F **27**
Town End Ind. Est. *Donc* —4E **26**
Town Fld. Vs. *Donc* —5J **27**
Town Ing Rd. *Fish* —6A **6**
Town Moor Av. *Donc* —4K **27**
Town Vw. Av. *Scaw* —7K **17**
Trafalgar St. *Carc* —5A **10**
Trafalgar St. *Carc* —5A **10**
Trafalgar Way. *Carc* —5A **10**
Trafford Ct. *Donc* —5G **27**
Trafford Rd. *Nor* —2B **4**
Trafford Way. *Donc* —5G **27**
Tranmoor Av. *Donc* —2E **36**
Tranmoor La. *Arm* —3H **29**
(in two parts)
Tranquil Wlk. *New R* —2D **44**
Travis Av. *Thorne* —6F **7**
Travis Clo. *Thorne* —6F **7**
Travis Gdns. *Donc* —7D **26**
(in three parts)
Travis Gro. *Thorne* —6G **7**
Treeton Ho. *Donc* —6G **27**
(off St James St.)
Trent Clo. *Edl'tn* —6A **34**
Trent Gdns. *Kirk S* —2F **21**
Trent Ter. *Con* —6E **32**
Troon Rd. *Hat* —7E **14**
Troutbeck Way. *New R* —3E **44**
Truman St. *Ben* —6E **18**
Trumfleet La. *Moss* —1B **12**
Truro Av. *Donc* —7B **20**
Tuby's Cvn. Site. *Stain* —4A **14**
Tudor Ct. *Barn D* —1F **21**
Tudor Rd. *Donc* —4A **28**
Tudor Rd. *W'land* —1A **18**
Tudor St. *New R* —2F **45**
Tudworth Fld. Rd. *Hat* —4K **15**
Tudworth Rd. *Hat* —6J **15**
Tudworth Rd. *Thorne* —2J **15**
Tulyar Clo. *New R* —3F **45**
Turf Moor Rd. *Hat W* —2K **23**
Turnberry Ct. *Ben* —7E **18**
Tutbury Gdns. *Donc* —2G **37**
Tween Woods La. *Wadw* —1D **42**
Twyford Clo. *Swint* —6A **30**
Tyas Pl. *Mexb* —4J **31**
Tynedale Ct. *Kirk S* —3G **21**

Uldale Wlk. *Carc* —5A **10**
Ullswater Rd. *Mexb* —3K **31**
Ullswater Wlk. *Donc* —1A **26**
Ulverston Av. *Ask* —5G **5**
Union Rd. *Thorne* —6D **6**
Union St. *Donc* —6G **27**
Uplands Rd. *Arm* —2J **29**
Up. Kenyon St. *Thorne* —5E **6**
Urban Rd. *Donc* —7E **26**
Urch Clo. *Con* —1E **40**
Uttoxeter Av. *Mexb* —3J **31**

Valiant Gdns. *Spro* —5C **26**
Valley Dri. *Bran* —1K **37**
Valley Rd. *Swint* —7B **30**

Varsity Clo. *Lind* —7J **23**
Vaughan Av. *Donc* —4H **27**
Vaughan Rd. *Cam* —4B **4**
Ventnor Clo. *Donc* —2D **34**
Verger Clo. *Ross* —1G **45**
Vermuyden Rd. *Moor* —2G **7**
Vicarage Clo. *Donc* —2G **37**
Vicarage Clo. *Mexb* —5J **31**
Vicarage Dri. *Wadw* —3F **43**
Vicarage Way. *Ark* —5J **19**
Victoria Av. *Hat* —6D **14**
Victoria Clo. *Stain* —4B **14**
Victoria Ct. *Ben* —4F **19**
Victoria La. *New R* —1E **44**
Victorian Cres. *Donc* —4K **27**
Victoria Rd. *Adw S* —1B **18**
Victoria Rd. *Ask* —7D **4**
Victoria Rd. *Ben* —5F **19**
Victoria Rd. *Donc* —1F **35**
Victoria Rd. *Edl'tn* —6K **33**
Victoria Rd. *Mexb* —4G **31**
Victoria Rd. *Nor* —2A **4**
Victoria St. *Mexb* —4E **30**
Victor St. *Carc* —6H **9**
Villa Gdns. *Toll B* —2E **18**
Village St. *Adw S* —1K **17**
Village St. *Donc* —3B **26**
Villa Pk. Rd. *Donc* —1E **36**
Villa Rd. *W'land* —2K **17**
Vine Rd. *Tick* —4C **48**
Vineyard Clo. *Tick* —3K **47**
Vineyard La. *Tick* —3K **47**
Violet Av. *Edl'tn* —1K **41**
Vulcan Way. *Hat W* —6J **23**

Waddington Ter. *Mexb* —5H **31**
Wadworth Av. *Ross* —1H **45**
Wadworth Clo. *Barn* —2B **30**
Wadworth Hall. *Wadw* —3F **43**
Wadworth Hall La. *Wadw* —3E **42**
Wadworth Hill. *Wadw* —3F **43**
Wadworth Riding. *Edl'tn* —7B **34**
Wadworth St. *Den M* —6C **32**
Waggons Way. *Stain* —4B **14**
Wainscot Pl. *Skell* —4J **9**
Wainwright Rd. *Donc* —2J **29**
Wakefield Rd. *S Elm & Ham* —2A **8**
Walbank Rd. *Arm* —2J **29**
Walden Av. *Donc* —6C **18**
Walden Stubbs Rd. *Nor* —1B **4**
Walker St. *Swint* —6E **30**
Wallace Rd. *Donc* —3C **34**
Walnut Av. *Auc* —5B **38**
(in two parts)
Walnut Av. *Tick* —4B **48**
Walnut Gro. *Mexb* —3F **31**
Walnut Rd. *Thorne* —4E **6**
Walnut Tree Hill. *Wadw* —3G **43**
Walpole Clo. *Donc* —4D **34**
Walsham Dri. *Donc* —3C **26**
Waltham Dri. *Skell* —4G **9**
Walton Ho. *Donc* —6G **27**
(off St James St.)
Warde Av. *Donc* —3D **34**
Warden Clo. *Donc* —1G **37**
Warmsworth Ct. *Warm* —3B **34**
Warmsworth Halt. *Warm* —5K **33**
Warmsworth Halt Ind. Est. *Warm*
—5A **34**
Warmsworth Rd. *Donc* —3C **34**
Warnington Dri. *Donc* —4G **37**
Warning Tongue La. *Donc* —1H **37**
Warren Clo. *Donc* —4A **28**
Warren Clo. *Warm* —3A **34**
Warren La. *Donc* —4F **37**
(in two parts)
Warrenne Clo. *D'cft* —7C **14**
Warrenne Rd. *D'cft* —7C **14**
Warren Rd. *Con* —1D **40**
Warren Rd. *Thorne* —7F **7**
Warren, The. *Ross* —7G **37**
Warren Va. *Swint* —7A **30**
Warren Va. Rd. *Swint* —6A **30**
Warwick Clo. *Hat W* —1H **23**
Warwick Rd. *Donc* —3B **28**
Washington Av. *Con* —7B **32**
Washington Gro. *Donc* —1E **26**
Washington Rd. *W'land* —2K **17**
Washington St. *Mexb* —4H **31**
Watch Ho. La. *Donc* —2D **26**
Waterdale. *Donc* —6H **27**
Waterdale Clo. *Spro* —1B **34**
Waterdale Shop. Cen. *Donc* —5H **27**
(off Waterdale)
Water La. *Stain* —1A **14**
Water La. *Tick* —5A **48**
Waterside. *Thorne* —5B **6**

Waterside Rd. *Thorne* —4C **6**
Waterslack Rd. *Birc* —7H **49**
Waterton La. *D'ville* —4D **22**
Wath Rd. *Wath D & Mexb* —3D **30**
Wath Wood Dri. *Swint* —6A **30**
Wath Wood Rd. *Wath D* —5A **30**
Watsons Cft. *Stain* —2D **14**
Waverley Av. *Con* —7E **32**
Waverley Av. *Donc* —2C **34**
Waverley Ct. *Toll B* —3E **18**
Weatherall Pl. *Skell* —4H **9**
Welbeck Rd. *Donc* —6K **27**
Welbeck Rd. *Harw* —6G **49**
Welfare Av. *Con* —7C **32**
Welfare Rd. *W'land* —4K **17**
Wellcroft Clo. *Donc* —2C **28**
Wellgate. *Con* —7E **32**
Wellingley La. *Tick* —1K **47**
Wellingley La. *Wadw* —5H **43**
(in two parts)
Wellingley Rd. *Bal* —5G **35**
Wellington Gro. *Baw* —3B **50**
Wellington Gro. *Donc* —1E **26**
Wellingtonia Dri. *Cam* —4A **4**
Wellington Rd. *Edl'tn* —7K **33**
Wellington Rd. *Lind* —7J **23**
Wellington St. *Mexb* —4G **31**
Wellington St. *Stain* —2B **14**
Well La. *Burg* —2J **9**
Well La. *Wadw* —3G **43**
(in two parts)
Wells Rd. *Donc* —2K **27**
Wellsyke Rd. *Adw S* —7B **10**
Welton Clo. *Donc* —3C **36**
Wembley Av. *Con* —7C **32**
Wembley Clo. *Donc* —3C **28**
Wembley Rd. *Moor* —2G **7**
Wendan Rd. *Thorne* —1K **15**
Wensley Cres. *Donc* —2F **37**
Wensleydale Rd. *Donc* —1B **26**
Wentworth Ct. *Baw* —5C **50**
Wentworth Ho. *Donc* —6G **27**
(off St James St.)
Wentworth Rd. *Donc* —3J **27**
West Av. *Bal* —2E **34**
West Av. *Stain* —2B **14**
West Av. *W'land* —2H **17**
West Bank. *Stain* —1K **13**
Westbourne Gdns. *Donc* —4D **34**
West Circuit. *Barn D* —6C **12**
West End. *Stain* —2K **13**
W. End Av. *Donc* —1E **26**
W. End Ct. *Ross* —2H **45**
W. End La. *New R* —1C **44**
W. End Rd. *Nor* —2A **4**
Westerdale Rd. *Donc* —1B **26**
Western Wlk. *Baw* —3C **50**
Westfield Clo. *Tick* —4K **47**
Westfield Cres. *Ask* —5F **5**
Westfield La. *Barn* —2A **30**
Westfield Rd. *Arm* —2G **29**
Westfield Rd. *Donc* —1F **35**
Westfield Rd. *Hat* —6E **14**
Westfield Rd. *Tick* —4K **47**
Westfield Vs. *Hat* —6E **14**
West Ga. *Mexb* —4J **31**
West Ga. *Tick* —5K **47**
W. Green Dri. *Kirk S* —3E **20**
West Gro. *Donc* —3A **28**
Westholme Rd. *Donc* —7F **27**
W. Laith Ga. *Donc* —5G **27**
West Mall. *Donc* —5G **27**
(off French Ga.)
Westminster Cres. *Donc* —3B **28**
Westminster Dri. *D'ville* —3A **22**
Westminster Ho. *Donc* —3C **28**
W. Moor La. *Arm* —1K **29** & 7A **22**
(in two parts)
W. Moor La. *Bol D & H'ton* —3A **30**
W. Moor Link. *E'thpe* —6E **20**
W. Moor Pk. *Arm* —1K **29**
Westmorland Ct. *Birc* —7K **49**
Westmorland Ho. *Birc* —7K **49**
Westmorland La. *Den M* —6B **32**
Westmorland St. *Donc* —3D **34**
Westmorland Way. *Spro* —7J **25**
Westongales Way. *Ben* —7E **18**
Weston Rd. *Donc* —3E **34**
West Pl. *Ben* —6F **19**
West Rd. *Mexb* —4F **31**
West Rd. *Moor* —2G **7**
W. Service Rd. *Barn D* —6C **12**
Westside Grange. *Bal* —1D **34**
West St. *Con* —7E **32**
West St. *Donc* —5G **27**
West St. *Harw* —6G **49**
West St. *Mexb* —5G **31**
West St. *Thorne* —7E **6**

W. View Rd.—Zetland Rd.

W. View Rd. *Mexb* —5G **31**
W. Wood Est. *Baw* —5A **50**
Westwood Ind. Est. *Arm* —3J **29**
Westwood Rd. *Baw* —5B **50**
Wetherby Clo. *Donc* —3B **26**
Wetherby Dri. *Mexb* —3H **31**
Wharf Clo. *Swint* —6E **30**
Wharf Rd. *Donc* —3H **27**
Wharf St. *Baw* —4C **50**
Wharf St. *Swint* —6E **30**
Wharncliffe St. *Donc* —6E **26**
Wheat Acre La. *Tick* —2J **47**
Wheat Cft. *Con* —7G **33**
Wheatfield Clo. *Barn D* —1G **21**
Wheatfield Dri. *Tick* —3B **48**
Wheatfields. *Thorne* —6E **6**
Wheat Holme La. *Ark* —7G **11**
(in two parts)
Wheatley Cen., The. *Donc* —7B **20**
Wheatley Hall Rd. *Donc* —2J **27**
Wheatley La. *Donc* —4J **27**
Wheatley Pk. Rd. *Ben* —5E **18**
Wheatley Pl. *Den M* —6B **32**
Wheatley St. *Den M* —6B **32**
Whinfell Clo. *Adw S* —1K **17**
Whin Hill Rd. *Donc* —1D **36**
Whinny Haugh La. *Tick* —6B **48**
Whiphill Clo. *Donc* —2E **36**
Whiphill La. *Arm* —3J **29**
(in two parts)
Whiphill Top La. *Bran* —7K **29** & 1A **38**
Whisperwood Dri. *Bal* —5F **35**
Whitaker Clo. *Ross* —3F **45**
Whitaker Sq. *New R* —2E **44**
Whitbeck Clo. *Wadw* —3F **43**
Whitburn Rd. *Donc* —6J **27**
Whitby Rd. *Harw* —6G **49**
Whitby Rd. *New R* —2E **44**
Whitcomb Dri. *New R* —3F **45**
White Cross La. *Wadw* —1E **42**
(in two parts)
White Ho. Clo. *Hat* —7C **14**
White Ho. Clo. *Stain* —1A **14**
Whitehouse Ct. *Birc* —7J **49**
White Ho. Dri. *Birc* —7J **49**
White Ho. Rd. *Birc* —7J **49**
White Ho. Vw. *Barn D* —6E **12**
White La. *Hoot P* —3A **16**
White La. *Thorne* —6C **6**
Whitelea Gro. *Mexb* —5F **31**
Whitelea Gro. Trad. Est. *Mexb* —5F **31**
Whitelee Rd. *Swint & Mexb* —6E **30**
White Rose Ct. *Ben* —6G **19**
White Rose Way. *Donc* —7H **27**
White Towers Cvn. Site. *Donc* —2E **28**
Whitney Clo. *Donc* —4C **34**
Whittier Rd. *Donc* —3E **34**
Whittington St. *Donc* —3H **27**
Whitton Clo. *Donc* —3C **36**
(in three parts)
Whitwell Vw. *Ross* —1H **45**
Whitworth Ct. *Donc F* —6D **38**
Wickett Hern Rd. *Arm* —2J **29**
(in two parts)
Wicket Way. *Edl'tn* —6A **34**
Wicklow Rd. *Donc* —3A **28**

Widford Grn. *D'cft* —1C **22**
Wike Ga. Clo. *Thorne* —7G **7**
Wike Ga. Gro. *Thorne* —7G **7**
Wike Ga. Rd. *Thorne* —6G **7**
Wilberforce Rd. *Donc* —6D **20**
Wildene Rd. *Mexb* —3G **31**
Wildflower Clo. *New R* —3E **44**
Wilkinson Av. *Moor* —3F **7**
Wilkinson Av. *New R* —2G **45**
William Bradford Clo. *Aus* —2E **50**
William La. *New R* —7D **36**
William Nuttall Cottage Homes. *Donc*
—6K **27**
Williams Rd. *Donc* —2D **26**
William St. *Swint* —6E **30**
Willington Rd. *Skell* —5J **9**
Willow Av. *Donc* —1F **37**
Willow Av. *Thorne* —4E **6**
Willow Bri. Cvn. Site. *Donc* —3F **27**
Willow Bri. La. *Moss & B'wte* —1C **12**
Willowbrook. *Skell* —4H **9**
Willow Cres. *Auc* —5B **38**
Willow Cres. *Braith* —7J **41**
Willow Cres. *Thorne* —4E **6**
Willowdale Clo. *Spro* —1A **34**
Willow Dri. *Edl'tn* —6A **34**
Willow Dri. *Mexb* —4F **31**
Willow Gth. La. *Ask* —4F **5**
Willow Glen. *Bran* —1A **38**
Willow Gro. *Thorne* —3F **7**
Willow La. *Bol D* —1D **30**
Willow La. *Ross* —1G **45**
Willowlees Ct. *Donc* —2E **36**
Willow Rd. *Arm* —1J **29**
Willow Rd. *Cam* —4B **4**
Willow Rd. *Thorne* —4E **6**
Willow Rd. *Wath D* —5A **30**
Willow St. *Con* —7F **33**
Willow Wlk. *Ben* —4E **18**
Wilmington Dri. *Donc* —2K **35**
Wilsic Ho. *Donc* —6G **27**
(off St James St.)
Wilsic La. *Tick* —6F **43**
Wilsic Rd. *Tick* —3K **47**
Wilsic Rd. *Donc* —4C **28**
Wiltshire Av. *Den M* —6B **32**
Wiltshire Rd. *Donc* —4C **28**
Wincanton Clo. *Mexb* —3H **31**
Winchester Av. *Donc* —2A **28**
Winchester Flats. *D'cft* —6C **14**
Winchester Ho. *Donc* —2B **26**
Winchester M. *Birc* —7J **49**
Winchester Rd. *D'cft* —6C **14**
Winchester Way. *Scaw* —2C **26**
Windam Dri. *Barn D* —6F **13**
Windermere Av. *Donc* —3C **28**
Windermere Dri. *Harw* —7F **49**
Windermere Clo. *Mexb* —3K **31**
Windermere Clo. *Old S* —5J **9**
Windermere Cres. *Kirk S* —3F **21**
Windermere Grange. *Edl'tn* —1K **41**
Windgate Hill. *Con* —6F **33**
Windhill Av. *Mexb* —4J **31**
Windhill Cres. *Mexb* —3J **31**
Windhill Ter. *Mexb* —3J **31**
Windlass Clo. *Thorne* —6D **6**

Windle Rd. *Donc* —7E **26**
Windle Sq. *Kirk S* —3F **21**
Windlestone Sq. *Moor* —2G **7**
Windmill Av. *Con* —1F **41**
Windmill Balk La. *W'land* —3J **17**
Windmill Dri. *Wadw* —4F **43**
Windmill Est. *Con* —1F **41**
Windmill La. *Nor* —3A **4**
Windsor Clo. *Ask* —5G **5**
Windsor Clo. *H'ton* —3B **30**
Windsor Ct. *Birc* —6H **49**
Windsor Ct. *D'ville* —3A **22**
Windsor Dri. *Barn* —2B **30**
Windsor Dri. *Mexb* —3J **31**
Windsor Rd. *Con* —6D **32**
Windsor Rd. *Donc* —4K **27**
Windsor Rd. *Stain* —3A **14**
Windsor Rd. *Stain* —3A **14**
Windsor Sq. *Stain* —3A **14**
Winholme. *Arm* —2H **29**
Winnery Clo. *Tick* —3A **48**
Winnipeg Rd. *Ben* —6F **19**
Wintersett Dri. *Donc* —1B **36**
Winterton Clo. *Donc* —3D **36**
Winton Rd. *Donc* —4B **28**
Wittsend Pk. Cvn. Site. *Ark* —4J **19**
Wivelsfield Rd. *Donc* —2C **34**
Woburn Clo. *Donc* —4C **34**
Wolsey Av. *Donc* —5A **28**
Wong La. *Tick* —5K **47**
Woodcock Way. *Adw S* —7K **9**
Woodcross Av. *Donc* —2G **37**
Woodfield Av. *Mexb* —4H **31**
Woodfield Link Rd. *Bal* —5F **35**
Woodfield Rd. *Arm* —3J **29**
Woodfield Rd. *Donc* —2E **34**
(in two parts)
Woodford Rd. *Barn D* —6F **13**
Woodgarth Ct. *Cam* —5A **4**
Woodhall Ri. *Swint* —7D **30**
Woodhouse Fld. La. *Hat* —1K **13**
Woodhouse La. *Baw* —1B **50**
Woodhouse La. *Hat* —3C **22**
Wood Ho. La. *Wadw* —3D **42**
Woodhouse Rd. *Donc* —2J **27**
Woodland Gdns. *Maltby* —6A **46**
Woodland Gro. *Wath D* —5A **30**
Woodland Rd. *Wath D* —5A **30**
Woodlands Cres. *Swint* —7A **30**
Woodlands Ri. *Cam* —4A **4**
Woodlands Rd. *W'land* —3K **17**
Woodlands Ter. *Edl'tn* —1K **41**
Woodlands, The. *Arm* —1J **29**
Woodlands Vw. *W'land* —3J **17**
Woodlands Way. *Den M* —6B **32**
Woodland Vw. *Mexb* —5J **31**
Wood La. *Fish & Thorne* —4A **6**
(in two parts)
Wood La. *Old E* —3K **41**
Wood La. *S'ton* —2C **46**
Wood La. *Wadw* —7C **34**
Woodlea Gdns. *Donc* —2F **37**
Woodlea Gro. *Arm* —2H **29**
Woodlea Way. *Donc* —1C **28**
Woodman Dri. *Swint* —7A **30**
Woodsett Wlk. *Con* —7G **33**

Woodside Clo. *Maltby* —6A **46**
Woodside Cotts. *W'land* —4J **17**
Woodside Ct. *Maltby* —7A **46**
(off Ley Dri.)
Woodside Ct. *W'land* —3J **17**
Woodside Rd. *Donc* —7C **18**
Woodside Rd. *W'land* —3J **17**
Woodside Vw. *Birc* —7H **49**
Woodstock Rd. *Donc* —2C **34**
Wood St. *Donc* —5H **27**
Wood St. *Mexb* —4F **31**
Wood St. *Swint* —6E **30**
Wood Vw. *Bran* —1A **38**
Wood Vw. *Con* —1G **41**
Wood Vw. *Edl'tn* —6A **34**
Woodview. *Spro* —7K **25**
Wood Wlk. *Mexb* —3F **31**
Woolley Ho. *Donc* —7G **27**
(off Elsworth Clo.)
Worcester Av. *Donc* —1K **27**
Wordsworth Av. *Cam* —4A **4**
Wordsworth Av. *Donc* —3E **34**
Wordsworth Dri. *Donc* —4D **26**
Worksop Rd. *Tick* —6K **47**
Wormley Hill La. *Syke* —1A **6**
Worral Ct. *E'thpe* —5G **21**
Worsley Pl. *Skell* —4H **9**
Worthing Cres. *Con* —7F **33**
Wortley Av. *Con* —7C **32**
Wortley Av. *Swint* —6D **30**
Wrancarr La. *Moss* —7K **5** & 1A **12**
Wrancarr Wood La. *Ask* —7J **5**
Wrightson Av. *Warm* —4A **34**
Wrightson Ter. *Donc* —2F **27**
Wroot Rd. *Finn* —6G **39**
(in two parts)
Wroxham Way. *Donc* —3C **26**
Wychwood Clo. *Donc* —5D **34**
Wyndthorpe Av. *Donc* —2E **36**

Yarborough Ter. *Donc* —3F **27**
Yealand Clo. *Adw S* —1K **17**
Yearling Chase. *Swint* —6B **30**
Yew Tree Cres. *Ross* —7G **37**
Yew Tree Dri. *Auc* —5D **38**
Yew Tree Dri. *Baw* —4B **50**
York Bldgs. *Edl'tn* —6K **33**
(off Eglington La.)
York Gdns. *Donc* —7D **28**
York Rd. *Donc* —7B **18**
York Rd. *D'cft* —6C **14**
York Rd. *Harw* —7G **49**
York Rd. *Skell* —4G **9**
York Rd. *Tick* —4B **48**
Yorkshire Outlet, The. *Donc* —1K **35**
Yorkshire Way. *Arm* —1K **29** & 7A **22**
York Sq. *Mexb* —5G **31**
York St. *Mexb* —4F **31**
York St. *New R* —7E **36**
York Way. *Con* —6G **33**
Young St. *Donc* —5H **27**

Zetland Rd. *Donc* —3K **27**